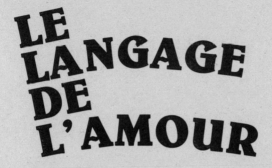

LE LANGAGE DE L'AMOUR

LE LANGAGE DE L'AMOUR

MARY ELLEN BRADFORD

Traduit de l'anglais par
Claudine Azoulay

Les éditions
Héritage inc.

Données de catalogage avant publication (Canada)

```
Bradford, Mary Ellen

   Le Langage de l'amour

   (Coeur-à-coeur).
   Traduction de : Language of love.
   Pour adolescents.

   ISBN 2-7625-3190-X

   I. Titre. II. Collection.

PZ23.B72La 1990    j813'.54    C90-096018-3
```

Language of Love
Copyright © 1985 by Wittman-Wenk Corporation
publié par Warner Books, Inc.

Version française
© Les Éditions Héritage Inc. 1989
Tous droits réservés

Dépôts légaux : 1er trimestre 1990
Bibliothèque nationale du Québec
Bibliothèque nationale du Canada

ISBN : 2-7625-3190-X   Imprimé au Canada

Photocomposition : Deval Studiolitho

LES ÉDITIONS HÉRITAGE INC.
300, Arran, Saint-Lambert, Québec J4R 1K5
(514) 875-0327

Je m'appelle Laura Beaulieu, j'ai seize ans et — autant vous le dire tout de suite — je passe un été épouvantable. Mon frère aîné, Jean-Luc, prétend que ça ne peut pas être pire que l'année où il a travaillé dans une usine. Je n'en suis pas si sûre. Mon autre frère, Richard, qui a un an de plus que moi, est beaucoup plus compatissant. Il dit que je devrais participer à l'une de ces émissions de télévision où les gens racontent leurs malheurs. D'après lui, je serais parfaite pour ça.

Ce serait un bon moyen d'entrer dans le milieu du show-business, car mon plus grand rêve, justement, c'est de faire du spectacle. J'ai d'autres rêves, évidemment — celui d'avoir une voiture, par exemple, ou de sortir avec un gars beau comme un dieu — mais devenir comédienne est ce que je désire le plus au monde. Tout a commencé quand j'avais cinq ans, à la maternelle. Nous avions monté un spectacle. J'ai tellement aimé jouer sur une scène que j'ai décidé, ce jour-là, de devenir actrice, tout en sachant pertinemment qu'y parvenir n'allait pas être chose facile.

Un des problèmes majeurs, ce sont mes parents. Maman aimerait que je devienne dessinatrice publicitaire. Elle ne rate jamais une occasion de proclamer que j'ai des talents artistiques, ce dont je ne suis pas convaincue. Quant à papa, il veut que je suive ses traces et que je devienne vétérinaire de campagne. J'adore les animaux et j'aime beaucoup l'accompagner de temps en temps à ses visites à domicile, mais passer mes nuits avec des vaches ou des cochons malades, ce n'est pas tout à fait ainsi que je vois mon avenir. Au départ, donc, il y a deux personnes qui n'ont pas spécialement envie de voir mon nom sur les enseignes lumineuses. Vient ensuite Jean-Luc qui affirme que j'ai un physique trop ordinaire — merci du compliment! — pour devenir comédienne. Il prétend qu'il faut avoir des yeux violets, des cheveux roux ou un nez vraiment particulier pour avoir la chance de devenir une vedette de théâtre ou de cinéma. Je n'ai malheureusement aucune de ces caractéristiques. Mon nez est tout ce qu'il y a de plus ordinaire, quoiqu'un peu retroussé, et mes taches de rousseur n'apparaissent qu'en été. J'ai également des cheveux longs châtain clair que mon impresario me ferait probablement teindre en blond platine. Mon meilleur atout, ce sont mes yeux, qui sont d'une jolie teinte de bleu. C'est peut-être parce qu'il a des yeux bleus presque identiques aux miens que Richard s'imagine que j'ai ce qu'il faut pour être actrice.

Le deuxième obstacle à mon éventuelle carrière de comédienne, c'est que je vis à Valmont, une localité de l'Estrie, entre Sherbrooke et le lac Mégantic, autant dire à mille lieues du monde du cinéma et du théâtre. C'est une petite ville nichée dans la verdure des sapinières et des champs. Pour commencer une éventuelle carrière, il faudrait d'abord que j'aille vivre à Montréal pour avoir peut-être la chance de faire quelques messages publicitaires ou d'obtenir un rôle secondaire dans un téléroman quelconque. En attendant, les distractions ici sont plutôt rares.

Depuis deux ans, il existe malgré tout une troupe de théâtre amateur. Auparavant, il fallait me pratiquer chez moi. Chaque fois que je découvre un personnage intéressant dans un livre ou dans un film, je m'entraîne pendant quelques jours à jouer ce rôle. Cela explique sans doute pourquoi maman ne m'a jamais laissé regarder *L'Exorciste*. Il va donc sans dire que je serais prête à tout faire — ou presque tout — pour enta-

8

mer une carrière d'actrice.

C'est précisément là que mon été a mal débuté, le jour où j'ai appris que ma meilleure amie, Nancy Marcotte, allait à Paris et surtout à Cannes, ville hôte du si célèbre festival, alors que moi, j'allais rester ici à m'ennuyer à cent sous de l'heure.

Ce n'est pas que j'en veuille à Nancy. Ce n'est évidemment pas sa faute si son oncle et sa tante résident temporairement sur la Côte d'Azur et s'ils l'ont invitée à passer l'été chez eux. Mais, d'un autre côté, je n'y suis pour rien, moi non plus, si tous mes cousins restent au fin fond de la Gaspésie.

Nancy elle-même est d'accord sur ce point. Je l'avais accompagnée quand elle est allée s'acheter maillots de bain et tee-shirts. Je me souviens de ce qu'elle m'a dit :

— C'est toi, Laura, qui devrais acheter ces maillots de bain. Tu mérites bien de visiter la ville où tu connaîtras un jour la gloire.

J'avais eu un hochement de tête modeste (il ne faut pas exagérer, tout de même), mais, au fond, je savais qu'elle avait raison. J'aurais rêvé, en effet, de séjourner dans cette ville si renommée, de visiter toutes les places où tant de stars défilent et se font couronner et acclamer chaque année.

Savoir qu'une occasion pareille me passe sous le nez, ça m'enrage. Nancy passera sans doute un été agréable en France, mais elle n'est pas du genre aventureuse. Tout ce qui l'intéresse dans ce voyage, c'est de peindre « les voiliers qui se bercent doucement sur les flots de la Méditerranée, les palmiers, et toutes ces fleurs qui doivent embaumer l'air du soir ». De nous deux, comme vous le voyez, c'est elle qui a les talents artistiques, autant en aquarelle qu'en poésie. Et comme l'art est une occupation assez prenante, elle passe beaucoup de temps seule, à peindre, branchée à son baladeur. Moi, je suis tout le contraire. C'est probablement parce que j'aime être entourée que je résiste à l'insistance de ma mère de me voir devenir artiste et à celle de mon père de me faire vétérinaire. Je n'ai rien contre les pinceaux et les animaux mais je préfère encore la compagnie des humains.

Au début de son séjour, Nancy m'écrivait souvent. Chacune de ses lettres était une torture pour moi. Elle y décrivait les merveilles de la « Riviera française », les champs de fleurs, la montagne surplombant la mer et la multitude de boutiques toutes plus coquettes les unes que les autres. Ça fait maintenant plusieurs semaines que je n'ai pas eu de ses nouvelles, vraisemblablement parce qu'elle devrait revenir dans une semaine et demie, à la rentrée des classes. À vrai dire, ses lettres ne me manquent pas trop — il est parfois préférable de ne pas savoir ce que l'on rate.

Pour en revenir à mon été, il peut se résumer en un mot : *ennuyeux!* C'est en partie ma faute. J'aurais dû faire comme mes frères et me trouver un emploi. Si je ne l'ai pas fait, c'est parce que je m'étais imaginé que l'été de nos seize ans était différent. Vous savez ce que je veux dire, que l'on va à la plage, qu'on y rencontre des garçons et que l'on s'attache à l'un d'eux pour que, une fois l'automne arrivé et l'école recommencée, on n'ait plus à se demander qui va nous inviter à la soirée dansante de la rentrée. Où ai-je pêché toutes ces idées farfelues?

Valmont, en été, c'est un tout autre programme. D'abord, si l'on veut se baigner, il faut aller au bord d'un lac. Bien qu'ils soient nombreux par ici, il n'y en a pas qui soit suffisamment proche pour que je puisse y aller à pied, ni même à bicyclette. Or, comme je l'ai dit plus haut, je n'ai pas d'auto. Ensuite, il est plutôt difficile de sortir avec des garçons car ils ont pratiquement tous un emploi. Ce qui ne leur laisse pas beaucoup de temps pour tomber en amour, et c'est bien dommage. Et ce qui est encore plus dommage, c'est que le temps que j'en arrive à toutes ces conclusions, tous les emplois d'été avaient été comblés.

Pourtant, il fallait absolument que je fasse quelque chose, que j'aie une activité de préférence proche du sexe masculin. J'ai donc proposé mes services comme… — ne riez pas, s'il vous plaît —… arbitre de baseball. Qu'est-ce que j'y connais, moi, au baseball, vous demandez-vous? Eh bien, avec un père et deux frères fervents amateurs des Expos, je m'y connais pas mal du tout. Assez, en tout cas, pour faire l'arbitre. Pour être franche, c'était plutôt amusant. Là où je me suis trompée, cependant, c'est de m'être imaginé qu'après avoir invité les joueurs à venir au marbre, l'un d'entre eux allait bien finir par m'inviter à sortir. Quelle déception! J'ai arbitré ma dernière partie mardi dernier, sans invitation. Bonne ou mauvaise, l'expérience est maintenant du passé.

La saison de baseball étant terminée et l'école n'ayant pas encore repris, je n'ai pas grand-chose à faire. Nous sommes à la mi-août en pleine vague de chaleur. Depuis trois jours, il fait plus de 30°C l'après-midi. Dans la fraîcheur du climatiseur qui est à son maximum, je me sens enveloppée d'une douce torpeur. Ma chienne, Brunette, est étendue au pied de mon lit. Son museau frémit; elle doit être perdue dans des rêves de chien.

Bien que ce ne soit pas à mon tour de le faire, pour m'occuper, je décide d'écrire à Nancy. J'ai bien du mal à remplir deux pages. Une fois ma lettre terminée, je cachète l'enveloppe, me brosse les cheveux et me mets du brillant à lèvres. Malgré la chaleur torride, je vais poster ma lettre et décide de faire un détour à la bibliothèque pour y emprunter un livre de Jack London, mon auteur préféré. La lecture des *Romans, récits et nouvelles du Grand Nord* devrait suffire à me garder au frais.

Il fait tellement chaud que les autres chiens ne veulent pas venir avec moi. Paulo, le chien de Jean-Luc, et Junior, celui de Richard, sont affalés sur le carrelage dans le vestibule. Les chats, eux, dorment sur le perron. Ils raffolent du soleil, aussi brûlant qu'il soit.

Arrivée à la station d'essence, au coin de la 4e Rue et de la rue Principale, je succombe à la soif et entre m'acheter une boisson gazeuse. Je lis et j'entends partout que ces boissons sont très mauvaises pour la santé, pleines de sucre, de sel, de produits chimiques et autres. Tout en sirotant mon Coke glacé, cependant, je me dis que si l'on n'en boit qu'un de temps en temps, cela ne peut pas faire de mal, n'est-ce pas?

Je reprends mon chemin dans la chaleur de l'après-midi et j'entends soudain quelqu'un crier à tue-tête :

— À bas l'arbitre!

Franchement! Une réputation, ça vous suit à jamais. Vais-je continuer mon chemin ou vais-je, curieuse que je suis, me retourner? La Laura curieuse l'emporte, évidemment. Me protégeant les yeux du soleil, je regarde derrière moi.

— Laura! s'exclame-t-il tout en courant pour me rejoindre. Je ne me suis pas trompé ; c'est bien toi.

— Bonjour, José.

José Fortin était le receveur des Rouges de Valmont. C'était aussi un bon frappeur, si mon souvenir est bon. Aujourd'hui, cependant, il ne ressemble pas du tout au joueur de baseball que j'ai connu. Son short rouge découvre des jambes superbes, bronzées et musclées, couvertes d'un duvet blond qui scintille au soleil. Si les équipes de baseball s'habillaient ainsi, je suis certaine que mon été aurait été beaucoup plus intéressant.

— Dois-tu descendre toute la rue Principale ?

Je fais oui de la tête.

— Moi aussi, dit-il. Je vais au boulot.

José est emballeur au supermarché situé au bout de la rue Principale. Je ne connais pas les règlements en matière vestimentaire mais je doute fort que le short de José fasse le bonheur du gérant du magasin.

José a remarqué que je regardais ses jambes avec insistance. Il m'explique donc :

— J'ai un jean dans mon casier au magasin. Je ne voudrais choquer personne. Dis donc, je ne t'ai pas beaucoup vue depuis que la saison de baseball est terminée.

— J'ai été très occupée. (Menteuse !) Mon frère m'a prêté son auto la semaine dernière et je suis allée à Sherbrooke magasiner. Je me suis acheté des vêtements et des fournitures scolaires.

Double mensonge. Primo, Jean-Luc préférerait mourir plutôt que de me prêter son cher tacot. Secundo, je ne compterais pas sur cette auto pour aller au supermarché en ville, alors encore moins pour aller à Sherbrooke. Je ne sais pas pourquoi je mens de la sorte à José. Probablement pour qu'il ne sache pas quel été ennuyeux je passe.

— C'est formidable, Laura.

La vague lueur d'envie qui se reflète dans ses yeux si bleus me donne un léger sentiment de culpabilité.

— J'aimerais bien partir d'ici pendant quelque temps, ajoute-t-il.

— Moi aussi.

— Comment ça, toi aussi? Tu viens de me dire à l'instant que tu es allée à Sherbrooke la semaine passée.

— Ah oui, c'est vrai.

Je ferais mieux d'arrêter de mentir ou je risque de me trahir.

— De toute manière, tu t'en iras bientôt, dis-je avec un sourire. Dans un an, tu partiras dans le vrai monde.

Nous entrons tous les deux en secondaire V. C'est un peu angoissant, c'est vrai, mais c'est aussi très excitant. José est pourtant tout ce qu'il y a de moins excité. Il frotte pensivement la bosse qu'il a sur le nez :

— Je n'ai pas tellement hâte de partir d'ici. On finit par se plaire à Valmont.

— Bof, c'est toi qui le dis.

— C'est vrai que Valmont peut être ennuyeux parfois, mais cette ville a malgré tout bien des attraits.

— Si on veut, dis-je, sceptique, en jetant un regard à la rue bordée d'érables, quasiment déserte.

— Et d'ailleurs, reprend José, ce ne sont pas tant les activités que les gens qui comptent et qui rendent un lieu attrayant.

— Là-dessus, je ne peux pas te contredire, dis-je en désignant de la tête les deux personnes en vue à ce moment-là, à savoir un vieux monsieur en train de promener son chien et une grosse dame qui déambule, les bras chargés de sacs d'épicerie.

Ma constatation nous fait éclater de rire.

— Je trouve quand même qu'il y a des gens intéressants à

14

Valmont, insiste José.

La chaleur serait-elle en cause, j'ai l'esprit de contra-
diction :

— Ah bon ? Qui donc ?

— José Fortin et Laura Beaulieu.

Je pouffe de rire.

— Bon, bon, tu m'as convaincue.

— Vraiment ? Super ! s'exclame José dans un éclat de rire.

À ce moment-là, est-ce un accident ou fait exprès, sa main
et son bras m'effleurent. Son épaule est tellement chaude qu'à
son contact, des frissons me parcourent le corps. Nous sommes presque arrivés devant le supermarché. Avant de me
quitter, José me demande d'un ton hésitant :

— Aimerais-tu qu'on sorte ensemble cette fin de semaine ?
Vendredi soir. Après tout, nous sommes les deux personnes
les plus intéressantes de Valmont, non ?

Inutile de cacher mon anxiété. Cet été s'est avéré un tel
désastre sur le plan des sorties que je n'ai plus la pratique en
la matière. En outre, pas une seule fois pendant que je comp-
tais les balles et les prises alors qu'il était au marbre, ne me
suis-je représenté José Fortin comme un gars avec qui sortir.
Ne me demandez pas pourquoi mais je n'y ai jamais pensé.

— Je vais vérifier si je n'ai rien de prévu.

La bonne blague ! Comme si mon emploi du temps était
surchargé. Ma réponse est niaiseuse, j'en conviens, mais si je
lui avouais que je n'ai rien de prévu, cela ferait encore plus
niaiseux.

— Je te donnerai une réponse demain, José. Et merci pour

ton invitation.

Sur le chemin du retour, je me demande pourquoi je n'ai pas été franche avec José. Ma carrière d'actrice, je veux la vivre sur les planches, pas dans ma vie personnelle.

Le lendemain après-midi, je décide de retourner en ville dire à José que je suis libre le vendredi soir (comme s'il y avait jamais eu de doute là-dessus). Ce n'est pas loin de chez moi au centre-ville ; je peux y aller à pied. Je me suis toujours considérée chanceuse de rester en ville. Non pas que Valmont soit une grande ville, mais j'aurais détesté vivre sur une ferme comme le font la plupart des adolescents d'ici.

Bien qu'il fasse moins chaud qu'hier, j'éprouve malgré tout le besoin de m'acheter un rafraîchissement. J'étais en train de penser à José, qui m'avait interpellée juste à ce moment-là, à ses jambes et au duvet doré qui les recouvre lorsque j'entends quelqu'un m'appeler, exactement comme la veille :

— Laura !

Cette fois-ci, c'est ma professeure de français, madame Robitaille.

— Bonjour, madame Robitaille.

— Comme je suis contente de te rencontrer. J'ai justement une faveur à te demander.

Madame Robitaille est une jeune prof très sympathique, aimée de tous les étudiants. Avec ses cheveux courts coupés au carré et ses yeux rieurs marron foncé, elle a tout d'une gamine.

— Dans le cadre de l'échange annuel, nous recevons un jeune Français de Marseille cette année. J'organise une petite soirée de bienvenue vendredi soir pour lui. J'aimerais bien que tu viennes. De plus, sachant que tu es excellente en anglais, j'ai pensé que tu pourrais donner des cours particuliers à ce jeune homme pendant l'année scolaire. Tu lui rendrais un grand service.

Vendredi soir! Justement le jour où je dois sortir avec José.

— Puis-je vous donner une réponse plus tard, madame Robitaille? Je ne suis pas certaine d'être libre vendredi.

Cette fois-ci, c'est la vérité, et me voilà obligée de faire un choix. D'une part, la réception chez madame Robitaille pourrait être chouette et je risque de la manquer au profit d'une sortie éventuellement ennuyeuse. D'autre part, la réception pourrait être dépourvue d'intérêt et la sortie avec José prometteuse.

Ne recevoir que deux invitations de tout l'été et qu'elles tombent justement le même soir, c'est curieux. En fin de compte, je me dis que mes problèmes sont vraiment minimes comparés à ceux de cet étudiant français. En participant à cet échange, il avait dû s'imaginer qu'on allait l'envoyer à Montréal, là où il y a de l'action. Il y a peu de chances qu'il se soit vu à Valmont, en pleine campagne. Il a dû avoir une sacrée surprise!

Si tu penses que Laura décide de sortir avec José, va à la page 18.

Si tu penses que Laura décide d'aller à la réception, saute à la page 40.

17

C'est bien ma veine! Toute la famille est installée au salon quand José vient me chercher pour sortir. Je dis bien *toute* la famille : mes parents, Jean-Luc et Richard, trois chiens et un nombre indéfini de chats. Pauvre José. S'il ne s'enfuit pas en courant, il mérite une médaille.

En réalité, il fait bravement face à la situation. Les yeux vissés à l'écran de télévision où se déroule un match de base-ball, papa mène son enquête :

— Qu'allez-vous faire ce soir, les jeunes?

Là est toute la question en effet : qu'allons-nous faire? Trouver une activité intéressante à Valmont n'est pas une mince affaire, surtout lorsqu'il n'y a pas de soirées dansantes à l'école. J'espère que nous n'allons pas aller au cinéma ; j'ai déjà vu les deux films qui y jouent cette semaine.

— J'ai pensé que nous pourrions aller à Sherbrooke, répond José. Il y a une soirée intéressante au cégep.

— C'est quoi au juste? s'informe mon père d'un air inquiet.

— Une soirée folklorique suivie de pizza à volonté.

— C'est bien, dit mon père en poussant un soupir de soulagement.

J'entends maman soupirer elle aussi et je vois son visage se détendre et arborer un sourire. Où s'imaginaient-ils que José allait m'emmener? Dans une soirée d'ivrognes? Mon regard tombe sur Jean-Luc, qui est le seul à ne pas sourire.

— Si tu nous vois, Patricia et moi, tu fais comme si tu nous connaissais pas, O.K.?

— Ne t'inquiète pas.

Cette remarque laisse croire que lui et moi sommes de grands ennemis. Au contraire, nous sommes très attachés l'un à l'autre mais Jean-Luc traverse une période difficile. Il entre à l'université cette année en médecine vétérinaire et je crois qu'il redoute un peu de ne pas être à la hauteur pour marcher sur les traces de papa. Je comprends très bien ce qu'il peut ressentir et je ne lui en veux pas, même s'il est du genre pénible.

— Allez, on s'en va, dis-je à José.

Après s'être dégagé d'une incroyable mêlée de chiens et de chats, José promet à mes parents :

— Nous serons de retour à minuit.

Comme nous nous rendons à son auto, José brosse son jean de la main en disant :

— Je suis plein de poils de chat.

— Moi aussi, c'est la griffe de la maison Beaulieu, excuse le jeu de mots.

José m'aide à trouver l'extrémité de ma ceinture de sécurité.

— Ça te va bien, des poils de chat. Je trouve d'ailleurs que, quoi que tu portes, tu es jolie, Laura.

D'une main tremblante de joie d'avoir reçu un tel compliment, j'attache ma ceinture de sécurité. Je suis déjà sortie avec des garçons, évidemment, mais jamais avec un garçon qui débute la soirée en me disant qu'il me trouve jolie. En chemin, je me dis que j'ai eu raison de choisir la sortie avec José plutôt que la réception chez madame Robitaille. Cette soirée pourrait être très prometteuse. La preuve, c'est que José vient à l'instant de me presser gentiment la main.

En entrant dans la salle des étudiants, là où se tient la soirée folklorique, nous remarquons qu'il y a peu de monde, ce qui n'a rien de surprenant puisque les cours n'ont pas encore commencé. Je suis un peu déçue mais José, lui, est content. Il me chuchote :

— Il n'y aura pas de bousculade pour la pizza tout à l'heure.

José m'entraîne au premier rang, et lorsque les chansons commencent, je suis surprise de constater qu'il a une voix claire et puissante. Il réussit même à donner le rythme aux spectateurs assis autour de nous en les dirigeant avec ses mains comme un chef d'orchestre. C'est un si bon meneur que l'un des membres du trio qui se produit sur scène l'invite à se joindre au groupe. Pas gêné pour deux sous, José grimpe sur scène et y reste pendant les cinq mélodies suivantes.

Lorsqu'il revient, ses yeux bleus pétillants de plaisir, je le taquine :

— Je ne suis pas la seule à pouvoir faire du spectacle, dis donc.

— On pourrait faire équipe, me suggère-t-il avec un sourire.

— L'idée me paraît intéressante.

Nous savons très bien tous les deux qu'il ne s'agit pas seulement de faire équipe au spectacle.

Tout en chantant et, par la suite, en mangeant trente-six variétés de pizza, je cherche de temps à autre mon cher frère et sa petite amie Patricia. Ils ne sont pas là. Ils sont probablement stationnés au bord du lac occupés à faire ce que l'on fait habituellement quand on stationne au bord du lac. Non pas que j'aie beaucoup d'expérience dans ce domaine car José est le premier garçon avec qui je sors à avoir une auto. Quel effet cela ferait-il d'être stationné au bord du lac avec lui? Je dois avoir l'air dans la lune car José m'interrompt dans mes pensées :

— Laura, à quoi penses-tu?

Comme si José pouvait deviner mes pensées, je deviens écarlate. Je ne sais pas trop quoi répondre. Je finis par mentir :

— Je me demandais pourquoi Jean-Luc et sa petite amie ne sont pas venus.

— Ils avaient peut-être peur de tomber sur toi, plaisante José, se souvenant de l'échange de paroles entre mon frère et moi.

— Tu es plein de bon sens. Je devrais réellement faire équipe avec toi, dis-je en riant.

Au cours de la semaine suivante, nous sortons trois fois ensemble. «Les Inséparables», nous surnomme Jean-Luc. Il s'est tissé entre José et moi une amitié très particulière. Un soir que nous sommes assis sur le perron chez moi, je lui confie :

— J'ai l'impression de te connaître depuis toujours.

Dans la lumière jaune de la lanterne — qui est censée (mon oeil!) décourager les insectes — le visage de José s'illumine.

— Tu me connais depuis toujours, Laura, c'est vrai. Valmont est une si petite ville.

Je pose ma tête sur son épaule.

— Disons que je te connaissais de vue mais pas réellement.

— Je ne comprends pas ce que tu veux dire, dit José tout en caressant Brunette qui essaie de se faufiler entre nous deux. Tu ne connaissais pas quoi au juste de moi?

— Je ne savais pas que tu étais une personne à qui l'on pouvait parler de tout.

C'est la vérité. Je peux parler absolument de tout à José, ce qui est tant mieux car Nancy, ma meilleure amie, semble bien m'avoir laissé tomber. Temporairement, en tout cas. J'ai reçu une mystérieuse carte postale la semaine dernière disant qu'elle avait été « retardée » en France mais qu'elle reviendrait « bientôt ». On ne peut être plus vague, vous ne trouvez pas? Qu'entend-elle au juste par « bientôt »? Je doute fort que les parents de Nancy la laissent rater le début de l'année scolaire. Si elle n'arrive pas dans les prochains jours, cependant, c'est ce qui va se passer.

Il y a autre chose que Nancy va rater et je trouve cela ennuyeux. Les essais pour la production originale, intitulée *Mélodie Rock*, mise en scène par la troupe de théâtre amateur, doivent avoir lieu jeudi soir. Si j'obtiens le premier rôle, ce sera le plus important que j'aie jamais eu. Ce sera également la première fois que je participerai à une audition sans le soutien moral de Nancy. Vous devez me trouver un peu égoïste d'espérer qu'elle soit là, mais cela fait partie d'un pacte solennel que nous avons conclu il y a de nombreuses années : elle acceptait d'assister à chacune de mes auditions si je promettais de lui donner une opinion sincère sur ses tableaux. Jusqu'à présent, ni l'une ni l'autre n'avons dérogé à cette entente. Je pousse un si profond soupir que Brunette, très sensible à mes états d'âme, dresse les oreilles et me regarde d'un air interrogateur.

— Quelque chose ne va pas? me demande gentiment José.

— Je crains que Nancy ne revienne pas à temps pour mon audition.

José sait ce que cette absence représente pour moi. Je lui ai un jour parlé de mon amitié pour Nancy et il m'a écoutée d'un air franchement intéressé. C'est bon signe car, habituellement, les garçons ne veulent rien savoir des copines de leur petite amie.

Tout en me caressant doucement la joue, José me propose :

— Je ne travaille pas jeudi soir. Je pourrai venir avec toi, si tu veux.

J'aurais sauté de joie si le doux contact de sa main sur ma joue ne m'avait retenue de le faire.

— Tu ferais ça?

— Et comment!

Le moustiquaire s'ouvre violemment et Jean-Luc surgit sur le perron.

— Vous ne pourriez pas arrêter de vous chamailler? nous taquine-t-il en nous voyant enlacés.

Je suis tellement heureuse en cet instant-là que même les plaisanteries de Jean-Luc ne me font ni chaud ni froid. D'un ton extrêmement aimable, je lui lance :

— Amuse-toi bien, et passe le bonjour à Patricia.

Tout va marcher comme sur des roulettes, me dis-je. José va m'accompagner à mon audition, ensuite l'école va reprendre, Nancy va revenir et me raconter son séjour en France. Ce sera comme l'an dernier, et encore mieux puisque j'aurai José et Nancy. Je sais d'avance qu'ils vont bien s'entendre.

Qui sait? José a peut-être un copain gentil, du genre timide et tranquille qui serait parfait pour Nancy.

Le Pepto-Bismol crée-t-il une dépendance? L'étiquette ne le dit pas, ce qui est une bonne chose car jeudi, entre trois heures de l'après-midi et sept heures du soir, j'en bois presque tout un flacon. Qui plus est, je ne me nourris de rien d'autre.

— Tu as le trac? me demande papa en me voyant chipoter au souper.

— Oui.

— Tu l'as toujours avant une audition, me rappelle maman, et, à chaque fois, tu t'en sors très bien.

— Je le sais, mais je préférerais quand même que tout soit terminé.

— Ce le sera bientôt. Pour quel rôle passes-tu l'audition? me demande Richard.

— Pour le premier rôle féminin, Mélodie, c'est la petite amie du chanteur rock. Pratiquement toute la pièce tourne autour d'elle.

Même Jean-Luc est impressionné.

Je me retire de table et monte dans ma chambre. J'ai juste le temps de boire une dernière gorgée de Pepto-Bismol avant que José n'arrive. Par mesure de précaution, je visse le bouchon très hermétiquement et fourre le flacon dans mon sac à main. On ne sait jamais, je pourrais en avoir besoin. Je répète une dernière fois la chanson que je dois interpréter à l'audition. Aux dernières paroles, j'entends les pas de José sur le perron.

— Mmmm, dit-il en m'embrassant. Tes lèvres ont bon goût.

— Bon goût?

— Oui, comme un goût de menthe.

Me souvenant du Pepto-Bismol, je me mets à rire.

Je n'habite pas loin de la salle où ont lieu les essais. Nous y allons donc à pied.

— Encore nerveuse? dit-il comme nous entrons dans le grand théâtre sombre. Tu dois l'être car je le suis moi-même alors que je ne passe même pas d'audition.

La scène est illuminée comme un vaisseau spatial dans un film de science-fiction. C'est tellement impressionnant!

— Attends-moi ici, dis-je en poussant José vers un siège. Je vais voir ce qui se passe.

Rassemblés au premier rang, juste en dessous de la scène, je reconnais monsieur Carrier qui enseigne au cégep à Sherbrooke, madame Rodrigue qui est propriétaire d'une boutique de tissus et s'occupe habituellement des costumes et Tony Vidal, l'accompagnateur au piano. Je suis quelque peu gênée de constater que je suis la première candidate arrivée et encore plus gênée de me rendre compte que je suis en avance d'une heure. J'ai mal lu l'affiche — les auditions commencent à huit heures, pas à sept heures.

Monsieur Carrier réussit à me mettre à l'aise en disant :

— Ce n'est pas grave, Laura. C'est une production importante et nous attendons beaucoup de monde pour les auditions. Je ne vois pas d'inconvénient à ce que tu fasses ton essai tout de suite.

J'affiche un sourire de soulagement car j'aurais difficilement supporté une heure d'attente de plus.

— Avec plaisir, dis-je en montant sur la scène et j'ajoute à l'intention de Tony qui s'est assis au piano : Je vais interpréter « La musique et l'amour », la chanson en solo de Mélodie.

La comédie musicale que nous allons présenter est une pièce originale écrite en grande partie par monsieur Carrier, qui comprend quelques chansons populaires très connues et d'autres qui sont l'oeuvre de jeunes, auteurs-compositeurs, eux-mêmes membres de la troupe.

— Est-ce que ça va comme ça ? me demande Tony en frappant une touche.

— Très bien.

Je regarde droit devant moi dans la salle. C'est l'obscurité la plus totale, un immense trou noir. C'est le côté injuste du métier : quand on est sur la scène, les spectateurs vous voient mais vous ne pouvez pas les voir. Tony joue les premières notes de la mélodie. Dès que j'entends les premières mesures, il se produit quelque chose de spécial. Chaque fois que je monte sur les planches, j'éprouve la même sensation magique. Je ne sais pas très bien expliquer ce que je ressens à ce moment-là mais j'ai l'impression de ne plus être tout à fait moi-même. Je vais au-delà de moi-même et c'est là que réside toute la magie. Ma voix s'échappe, forte et claire, comme un oiseau qui s'envolerait de sa cage. Elle tourbillonne autour de moi, emportant avec elle toute ma nervosité. Puis soudain, trop rapidement à mon goût, la chanson est terminée, je redeviens moi-même, Laura Beaulieu. J'ai les genoux qui tremblent après ma performance.

— Tu as été formidable, murmure José en me prenant dans ses bras. Ils seraient idiots de ne pas te choisir pour le rôle.

Je le regarde d'un air sceptique car il risque d'être partial.

— Beaucoup de jeunes vont passer une audition pour ce rôle, tu sais. Ai-je été bonne, sincèrement?

— Tu as été excellente, m'assure-t-il en me serrant de nouveau dans ses bras.

De nombreux jeunes affluent. Certains de mon école, les autres de municipalités avoisinantes. Je ne peux m'empêcher d'observer les filles et de me demander si elles risquent de me chiper le rôle de Mélodie. Au bout d'un moment, j'ai de nouveau mal au coeur.

— Qu'est-ce qui ne va pas? s'inquiète José.

— Toutes ces filles sont superbes, et je te parie qu'elles chantent et dansent à merveille.

José comprend tout de suite que je risque de faire une crise de nerfs si je vois ces filles auditionner. Il me prend par la main et me suggère :

— Il y a un casse-croûte en face. Viens, on va boire un Coke.

J'accepte. Après tout le Pepto-Bismol que j'ai ingurgité, un Coke pourrait bien me remettre l'estomac d'aplomb.

Heureusement que José et moi sommes très bavards car nous restons deux heures au casse-croûte. Une fois ma paille mâchouillée au point d'être devenue un accordéon informe et mon dernier cube de glace croqué, nous décidons de retourner dans l'auditorium.

Les auditions pour les rôles principaux sont terminées. Il ne reste plus que quelques jeunes sur la scène pour le choeur. Des gens se sont agglutinés autour de monsieur Carrier, et, comme José et moi passons près de lui, je l'entends déclarer :

— Non, vous n'aurez pas les résultats ce soir. La distribution sera annoncée sur le tableau d'affichage après-demain.

Je suis à la fois déçue et soulagée.

— Dans ce cas, il ne nous reste plus qu'à rentrer, dis-je à José dans un soupir.

José ne m'a pas entendue. Son attention est retenue par le groupe de jeunes rassemblés autour de monsieur Carrier.

— Hé, regarde, qu'est-ce que c'est que ça?

Regardant dans la direction où pointe son doigt, je vois une personne de la même taille que Nancy, aux mêmes cheveux noirs. C'est bien ici que s'arrête la ressemblance car la personne que me montre José semble prête pour une mascarade. Elle est vêtue d'un blouson de cuir noir dont le devant est parsemé de pierres irisées. Elle porte également un béret à paillettes et des boucles d'oreilles brillantes taillées en forme d'éclair.

— Très drôle, dis-je en prenant José par le bras.

Et soudain, la personne en question se tourne légèrement et me regarde. Je reste bouche bée. Dès qu'elle me reconnaît, elle me fait un signe de la main, d'une main pourvue d'ongles de deux centimètres de long recouverts d'un vernis fuchsia.

Je m'exclame, horrifiée :

— C'est Nancy!

— C'est Nancy, *ça*? murmure José.

Je ne le blâme pas d'être surpris car mon amie ne ressemble pas du tout à la jeune fille sage et timide que je lui ai décrite.

Il va sans dire que je suis aussi surprise que lui. Pas seulement par l'accoutrement de Nancy mais aussi qu'elle soit

28

venue ici sans me prévenir de son retour. Pour dirc la vérité, je suis vexée. Elle aurait pu au moins me téléphoner. Quant à sa tenue vestimentaire, je me dis qu'elle a peut-être proposé ses services comme costumière et qu'elle veut montrer que l'on peut donner à la pièce une petite touche punk. J'espère que c'est là l'explication de son déguisement.

— Nancy! Quand es-tu revenue?

Elle nous a rejoints, et au lieu de répondre à ma question, elle m'adresse un grand sourire et un autre encore plus grand à José.

— Eh! Chicos, Laurita! Tu ne m'as pas écrit que tu avais pris le gars le plus séduisant de Valmont dans tes filets.

Quelle remarque stupide! José n'a pas l'air de trouver ni la remarque ni son auteure stupides. Il affiche un sourire béat de mâle à l'orgueil satisfait.

Tant bien que mal, je réussis à articuler:

— As-tu passé une audition?

Comme si je venais de dire la chose la plus comique de la terre, Nancy éclate de rire:

— Pas du tout. Je vais être adjointe au metteur en scène.

Ne me demandez pas pourquoi, j'ai soudain le goût de la contredire:

— Les répétitions vont prendre beaucoup de temps, tu sais. Je croyais que tu allais t'inscrire au club d'art cette année.

Nancy fronce le nez.

— Mais non, plus personne ne met les pieds dans les galeries de nos jours, Laurita. Le cinéma, c'est ça le nouvel art, tu devrais le savoir.

Sur ces mots, Nancy pose sur moi, pour la seconde fois, d'immenses yeux bruns pleins de pitié et bordés d'ombre à paupière bleue nacrée.

— Il faudrait que tu te branches un peu, que tu découvres les nouveaux réalisateurs, la génération d'avant-garde. Je les connais tous, ils sont flippants, tu sais. Mes futurs films leur devront beaucoup.

— Tes films? dis-je, me sentant tout à coup presque aussi stupide que le pense Nancy.

— Mais oui, répond Nancy en souriant carrément à José. Dès la fin de l'année scolaire, je file à Montréal où je vais faire mes premières armes comme réalisatrice. Ça va être chouettos.

Ses yeux passent de José à moi, puis elle ajoute :

— Qui sait, Laurita? Je pourrais peut-être te dénicher un bon rôle?

Je commence à bouillir. Nancy étant partie dire quelque chose à monsieur Carrier, José me demande :

— Est-ce que Laurita, c'est ton vrai nom?

Je passe ma colère sur José et lui réponds durement :

— Pas du tout. Je me demande bien ce qui lui prend. On dirait qu'elle est devenue folle, ma parole.

José hausse les épaules et constate :

— Je la trouve bien normale.

Je ne me suis pas encore remise du choc que Nancy revient nous voir, un large sourire se dessinant sur ses lèvres peintes d'un rouge sang.

— Tu n'as pas à t'en faire pour la pièce, Laurita. J'ai parlé à monsieur Carrier ; je lui ai dit que tu étais une actrice méga bonne.

Je suis obligée de sourire. En cela, au moins, elle n'a pas changé.

— Je lui ai dit, poursuit Nancy, que tu serais perfecto pour le rôle de la mère.

J'aurais envie de lui tordre le cou. Comment peut-elle sous-entendre que je serais «perfecto» pour le rôle de la mère quand celle-ci est une femme dans la quarantaine qui pèse dans les 80 kilos? Moi, je n'ai que seize ans et je pèse 55 kilos.

— Je ne pense pas être assez bonne actrice pour ça, dis-je d'un ton sarcastique.

Malheureusement, Nancy n'a pas l'esprit assez fin pour comprendre ma subtilité. Ses griffes de sorcière agrippent le bras de José.

— Valmont a certains attraits que n'a pas Cannes, déclare-t-elle tout en coulant vers José un regard langoureux.

Je n'en crois pas mes yeux. Je me racle la gorge pour attirer l'attention de José. Je le fusille du regard et il dégage aussitôt son bras de l'emprise de Nancy. Il lui demande malgré tout, le traître :

— Aimerais-tu faire le chemin avec nous?

— Avec plaisir, répond-elle d'une voix qui me donne le goût de la gifler.

Inutile de dire que le trajet est tout ce qu'il y a de plus «chouettos», de l'avis de Nancy, évidemment, pas du mien. Tout le long du chemin, elle parle de la Côte d'Azur, de cinéma et d'une foule d'autres choses. José l'écoute d'un air que je ne connais que trop : c'est l'expression béate des patients de mon père, bœufs et cochons, qui, totalement hypnotisés par sa voix, attendent patiemment et bêtement la piqûre de la seringue. Juste avant d'arriver devant chez Nancy, j'entends José lui dire :

— Tu as un bien joli blouson.

Nancy hausse modestement les épaules :

— Ça ? Bah ! Je suis tombée dessus par hasard dans une boutique.

Elle n'aurait pas pu dire plus vrai. C'est le genre de vêtement qui a dû attendre longtemps avant qu'une cliente aussi folle que Nancy ne l'achète.

— Je te bigophonerai demain, Laurita, me lance-t-elle d'un ton enjoué. On ira voir la distribution ensemble quand elle sera affichée. Et ne te fais pas de bile surtout, le rôle de la mère, c'est dans la poche !

J'ai envie de la boxer !

— Merci, dis-je avec un faible sourire.

Je suis épuisée. J'ai plus joué la comédie pendant cette dernière heure que lorsque j'étais sur la scène à essayer d'obtenir le rôle de Mélodie. José et moi continuons notre chemin. Une fois arrivés à une bonne distance, je lui dis :

— Je suis désolée pour tout ça. Je ne sais pas ce qui lui est arrivé en France, mais c'était une fille très gentille et… je dirais, normale.

José se met à rigoler :

— Je l'ai trouvée plutôt comique.

Je pose ma main sur son bras.

— Ne te sens pas obligé de dire ça.

Je suis contrainte de reconnaître qu'il ne se sent pas obligé du tout mais qu'il le pense vraiment au contraire car il ajoute :

— Non, sincèrement. Je la trouve… disons, différente.

— Elle l'est, c'est un fait.

Depuis une heure, c'est la première fois que nous sommes d'accord sur un point.

— Bon, alors, à demain, dis-je en me rapprochant de lui.

— Hmm, répond José en me tapotant le bras. Je te téléphonerai. Bonne nuit, Laura.

Pour la première fois depuis que nous nous connaissons, José ne me donne pas un baiser de bonne nuit.

— J'ai une bonne nouvelle et une mauvaise. La bonne nouvelle, c'est que j'ai obtenu le premier rôle féminin dans *Mélodie Rock*. La mauvaise, c'est que Nancy va être l'adjointe au metteur en scène. Excusez-moi, je voulais dire *Nanci* car elle a décidé de « franciser » son nom (comme si les Nancy en France écrivaient leur nom avec un i !), en vue de sa future carrière de réalisatrice.

— Quand je me serai fait connaître à Montréal, je me lancerai à la conquête du cinéma français, me déclare-t-elle un jour du ton le plus sérieux qui soit. C'est giga, tu sais, tous ces metteurs en scène talentueux, ces grands acteurs. J'ai tellement hâte !

Et moi donc ! Si ce n'était que de moi, je l'expédierais illico dans la jungle cinématographique parisienne. Et je ne dois pas être la seule à souhaiter qu'elle s'en aille au diable car, jusqu'à présent, elle a été odieuse avec toute la troupe. Elle a insulté pratiquement tous les participants à la pièce. Selon elle, les décors sont « puérils », les costumes sont un travail d'« amateur » et Joanne Allard, qui joue le rôle de ma meilleure amie, est censée perdre cinq kilos avant la première. J'ai bien cru que Joanne allait tordre le cou à Nanci pour avoir eu autant de toupet. Imaginez-vous vous faire dire que vous êtes grasse devant autant de monde ! Par conséquent, si je faisais une collecte pour payer un billet d'avion afin d'envoyer Nanci dans la capitale française, je ramasserais sûrement beaucoup d'argent.

Le seul qui ne participerait pas serait José, et c'est bien ce qui m'inquiète. Depuis que Nanci est revenue à Valmont, nous sommes comme les Trois Mousquetaires. Je ne peux malheureusement pas l'accuser de vouloir me chiper José car elle est très subtile. Et lui, le pauvre, est aveuglé par le maquillage outrancier de cette fille et par ses bottes à talons hauts. Je ne suis même pas certaine qu'il comprenne ce qui se passe. Moi, si. Je ne suis pas aveugle et je sais très bien où elle veut en venir.

Je ne peux qu'admirer la manière dont elle s'y prend. Elle saute sur chaque petite occasion. Voici un exemple : José a l'habitude de m'accompagner à mes répétitions les samedi et dimanche après-midi, et il vient m'y rechercher. Correction : il vient *nous* y rechercher car Nanci s'arrange toujours pour que nous fassions la route tous les trois ensemble. Et il arrive même que, du fait qu'elle habite plus près de chez José que moi, ils me déposent en premier et continuent leur chemin ensemble. Agréable, non ?

Ce qui m'enrage encore plus, c'est ce qui se passe un soir, trois semaines après le début des répétitions. Nanci, qui venait justement de nous dire que nous sommes « complètement nuls », décide de prendre une pause, et nous nous retrouvons seuls jusqu'à 19 h 30, heure à laquelle arrive monsieur Carrier.

Ce n'est pas son attitude qui m'énerve car je commence à être habituée à ses caprices. Ce qui me rend furieuse, c'est le fait que José, qui est venu me voir répéter, accompagne Nanci pendant sa pause. Je bous de rage. La situation a pris des proportions inquiétantes, très inquiétantes même. Mais c'est terminé! Fini la gentille Laura. Si Nanci veut la bagarre, elle l'aura.

Oui mais comment m'y prendre? Je ne peux tout de même pas la provoquer en duel. Après la fugue de Nanci et José, mon esprit n'est plus qu'à moitié à la répétition, l'autre moitié étant occupée à chercher des moyens d'action pour lutter contre Nanci. J'ai trouvé. Le bal de la moisson! C'est l'occasion rêvée. Je sais ce que je vais faire. Si José apprécie le genre d'accoutrement que porte Nanci, c'est ce qu'il aura. Je porterai un collant en résille et une robe style Tarzan qui découvre négligemment une épaule. Il ne m'a pas invitée au bal car personne n'y invite personne. Cet événement est une tradition qui date de l'époque des colons. Tout le monde y va, tout simplement. Et quand je dis tout le monde, c'est tout le monde. On dirait que les citoyens se font un devoir d'aller au bal de la moisson. Je suis donc certaine que José ira lui aussi; ce serait antisocial de sa part de ne pas le faire.

Une autre certitude me vient soudain à l'esprit. Si José va au bal de la moisson, Nanci y sera elle aussi. Je me demande quelle sera sa réaction en me voyant vêtue comme elle. J'espère qu'elle en sera gênée. Peut-être même humiliée. Un petit sourire de jubilation erre sur mes lèvres. Puis j'entends une voix m'appeler:

— Laura? Laura, c'est ta réplique.

Je reviens sur terre. Marc Sorel me regarde avec insistance.

Je ne le connaissais pas bien au début des répétitions car il n'est pas de Valmont, mais c'est un gars très sympathique. Et, s'avère-t-il, le choix idéal pour interpréter le rôle de mon petit ami, Vincent. Car, tout comme le Vincent de la pièce, Marc est franc, timide et très intelligent.

— Excuse-moi, Marc, j'étais perdue dans mes pensées.

Les yeux bruns de Marc débordent de compréhension ; il a probablement remarqué que José est parti avec Nanci.

— Quelque chose ne va pas ? s'inquiète-t-il.

— Non, je pensais juste à Nanci.

— Hmmm. Tiens, nous en sommes ici, dit-il en me tendant le texte.

J'admire la manière dont il prend la chose. Quelqu'un d'autre aurait profité de ma remarque pour dénigrer notre adjointe bien-aimée. Il a une attitude très professionnelle et, plus ça va, plus je remarque combien il est gentil. Pour vous prouver à quel point il peut l'être, il est le seul membre de la troupe qui n'ait pas suggéré de sceller les pieds de Nanci dans du ciment et de la jeter dans la rivière la plus proche.

À partir de ce soir-là, Marc et moi devenons des amis. Sa seule présence me permet de maîtriser mes sentiments envers Nanci. S'il est capable de rire du comportement ridicule de cette fille, je dois en être capable moi aussi.

Le problème, c'est que Marc n'est pas toujours là. Il ne l'est pas, notamment, le jour où José m'annonce à l'école qu'il ne pourra pas venir me chercher le soir après la répétition car lui et Nanci doivent se rendre à Sherbrooke acheter des accessoires d'éclairage. Cette nouvelle me fait sauter au plafond. Qui sait ce qui peut se passer dans cette auto pendant le trajet aller-retour Valmont-Sherbrooke ?

Je m'efforce malgré tout de garder mon calme et je lui demande :

— Pourquoi dois-tu emmener Nanci à Sherbrooke?

José hausse les épaules.

— Parce qu'elle me l'a demandé.

— Bonne réponse, dis-je d'un ton sarcastique. Alors, si elle te demandait de te jeter à l'eau, tu le ferais?

José a l'air de celui qui ne comprend rien.

— Où est le problème?

Bon sang! Est-il stupide à ce point ou fait-il semblant?

— S'il te plaît, tu sais très bien où est le problème.

José hausse encore les épaules. S'il les hausse une fois de plus, je le gifle. Et, soudain, allez savoir pourquoi, je me demande ce que ferait Marc Sorel dans une situation semblable. Une chose est certaine, il ne se bagarrerait pas. Non, il tournerait les talons et s'en irait. C'est donc ce que je fais : je m'en vais. D'ailleurs, j'ai un cours.

J'ai à peine fait quelques pas que j'entends ceux de José résonner derrière moi.

— Laura! Attends! braille-t-il.

Mais je n'attends pas. Je ne daigne même pas me retourner. Je continue mon chemin et il est obligé de se planter devant moi pour que je m'arrête. Les yeux bleus de José sont presque noirs.

— Après tout, je ne le fais que parce que c'est ton amie, dit-il.

Là, il y va un peu fort. Il n'aurait pas pu trouver excuse plus idiote. Il me prend vraiment pour une imbécile. Il ne le fait que parce que c'est mon amie. À d'autres !

Je me rends à la répétition dans une rage folle et Marc le remarque tout de suite. Il ne me demande cependant pas ce qui ne va pas ; ne voyant ni José, ni Nanci, il a dû comprendre. Pendant les pauses, il essaie de me changer les idées en plaisantant avec moi et, à la fin de la soirée, il m'offre de me reconduire chez moi.

— Merci beaucoup, dis-je comme nous arrivons dans mon allée de garage. C'était très gentil de ta part.

— Comment ? demande-t-il au milieu des aboiements.

Dès qu'ils ont entendu une auto qu'ils ne connaissent pas s'engager dans l'allée, les chiens sont arrivés en force.

Je me penche vers lui et lui crie :

— C'était très gentil de ta part de me raccompagner.

Marc me prend la main et la garde quelques secondes dans la sienne. Les chiens continuent d'aboyer à tout rompre. Pour les faire taire, j'ouvre la portière de ma main libre afin qu'ils voient que ce n'est que moi et que tout va bien. Paulo et Junior grimpent sur le siège avant avec nous. Brunette, beaucoup plus distinguée, s'installe délicatement sur le tableau de bord. Marc me jette un coup d'oeil par-dessus le dos de Paulo.

— Ce n'est pas tout à fait ce que j'avais prévu, dit-il dans un éclat de rire.

— Excuse-moi. J'aurais dû t'avertir que je vis dans un zoo, dis-je en essayant de faire sortir Junior de l'auto.

Cette situation ne semble pas déranger Marc. C'est encore un bon point pour lui car, selon moi, tout être humain qui aime les animaux doit être bon. Au lieu de s'en aller, Paulo s'installe sur les genoux de Marc. Le chien est tellement gros qu'il doit poser ses pattes sur le volant.

— À la maison, chauffeur, lui ordonne Marc.

C'est vraiment comique car on dirait que Paulo est réellement prêt à nous conduire quelque part.

— Ce n'est peut-être pas le bon moment pour te dire cela, dit Marc, essoufflé car Paulo est quasiment en train de l'étouffer, mais…

— Mais quoi?

— Des jeunes de mon école organisent une soirée vendredi prochain. Aimerais-tu m'y accompagner?

Vendredi prochain! C'est le bal de la moisson. Si je n'y vais pas et si je ne lutte pas pour mon territoire, je risque de perdre José au profit de Nanci. Mais au fait, je me bats pour quoi au juste? Si José s'est laissé aussi facilement subjuguer par Nanci, c'est que je ne le connais pas aussi bien que je le croyais, et il ne vaut sans doute pas la peine qu'on se batte pour lui. Marc, en revanche, mérite peut-être qu'on le connaisse mieux. Pourtant, j'aimerais bien me montrer au bal de la moisson accoutrée comme Nanci. Même si je ne récupère pas José, j'aurai au moins dit ce que j'avais à dire.

Si tu penses que Laura décide d'aller au bal de la moisson, va à la page 56.

Si tu penses que Laura décide de sortir avec Marc, saute à la page 68.

Madame Robitaille n'habite qu'à deux pâtés de maison de chez moi. C'est son mari qui me fait entrer :

— Bonsoir, Laura. Toujours arbitre ?

— Non, la saison est déjà terminée.

Le fait d'avoir été le premier arbitre féminin de Valmont va me suivre toute ma vie, c'est certain. Voilà un potin pour les journalistes lorsque je serai célèbre.

De la musique et des voix s'échappent du salon. En entrant dans la pièce, j'aperçois des petits groupes d'invités qui mangent du bout des lèvres de délicats amuse-gueule.

— Bonsoir, Laura, m'accueille à son tour madame Robitaille.

Wow ! Quel chic ! Elle porte une combinaison en soie noire agrémentée de mancherons violets.

— J'adore votre tenue.

Je regrette aussitôt ma remarque. Ce que je suis stupide, ce n'est pas le genre de choses à dire à une soirée où l'on mange du brie ou du caviar sur des craquelins raffinés.

Je me reprends donc et ajoute :

— Je suis très contente que vous m'ayez invitée.

Ce qui n'est guère plus intelligent.

— Pas mal, les tartinades, hein, Laura? dit une voix dans mon dos.

Je me retourne et trouve Paul Taillefer, le crétin numéro un. Madame Robitaille ne pouvait pas faire autrement que de l'inviter puisqu'il est le président du club de littérature française. Le devant de sa chemise est parsemé de miettes de craquelins et de grains de sésame.

— C'est exquis, en effet, dis-je froidement, en espérant que Paul a remarqué le ton sophistiqué que j'ai employé.

Je cherche le secours de madame Robitaille mais elle a disparu.

— Vas-tu t'inscrire au club de littérature cette année? me demande Paul.

Je n'ai pas l'occasion de lui répondre car je viens d'apercevoir, à l'autre bout de la pièce, le plus beau garçon que j'aie jamais vu. Un véritable Adonis: cheveux foncés, couleur vison, yeux noirs et superbe sourire qui accentue une fossette sur sa joue gauche. Je m'informe auprès de Paul:

— Qui est-ce?

— C'est l'étudiant français, me répond-il d'un ton renfrogné.

Ça, par exemple! On dirait que je viens de découvrir que la terre est ronde: un monde de possibilités s'ouvre à moi. Madame Robitaille réapparaît. Elle me tend un verre à vin rempli d'une boisson que je ne reconnais pas.

— Il faut que je te présente Étienne, notre étudiant français, me dit-elle.

Nous plantons là Paul, le crétin. Bien fait pour lui. Depuis deux ans, il dirige le club de littérature française tout seul — club qu'il a d'ailleurs mis lui-même sur pied —, montrant un esprit aussi peu démocratique que Louis XVI. Il serait temps qu'il ait un peu de concurrence.

Madame Robitaille me conduit vers Étienne.

— Laura, je te présente Étienne Lefermier, notre nouvel étudiant français. Étienne, Laura Beaulieu.

Avec un sourire, Étienne me tend la main :

— Bonsoir, Laura.

D'abord son sourire, maintenant sa voix, quelle merveille ! Et dire que j'allais rater cela pour une sortie avec José Fortin !

Au bout de quelques minutes, comme par miracle, nous nous retrouvons en tête à tête.

— Étienne, ce n'est pas un prénom habituel pour un jeune de ton âge.

— Non, pas du tout. D'ailleurs, chez moi, tout le monde m'appelle E.T.

— À cause du film ?

Il fait oui de la tête et plaisante :

— Tu ne vois pas la ressemblance ?

— Non, pas vraiment.

Nous éclatons de rire.

— Ton nom de famille n'aurait pas pu être plus approprié. C'est la campagne ici, tu sais.

— Je le sais, et ça ne me dérange pas. On a bien fait de m'envoyer ici. C'est un endroit idéal, ajoute-t-il en m'adressant un sourire qui est un peu plus qu'un sourire.

Ma tête commence à s'enfler. Je me demande si E.T. a voulu dire ce que j'ai compris, à savoir que je suis, moi, une des choses qui rend cet endroit idéal. Je l'espère. Je bois une autre gorgée de mon verre ; cette boisson a un goût de champagne ou ce que j'imagine être le goût du champagne.

— Madame Robitaille m'a dit que tu aurais sans doute besoin de cours pour améliorer ton anglais.

— C'est vrai. Est-ce toi qui es chargée de mon éducation ?

— Si tu veux.

— Puis-je te demander pourquoi on t'a choisie pour ça ?

— Pour une raison simple. Mon père est québécois et ma mère anglaise, ce qui m'a permis d'être parfaitement bilingue. C'est un gros avantage ; je n'ai jamais eu de difficultés dans cette matière.

— Je ne peux pas en dire autant. En France, on apprend beaucoup la grammaire mais on fait peu de conversation. Tu seras donc mon interlocutrice anglaise… et j'espère ne pas être un trop mauvais élève, ajoute-t-il avec son si superbe sourire.

Le problème est simple et se résume ainsi : tout ce que j'ai à faire, c'est d'arriver à ce qu'Étienne tombe amoureux de moi. Mais s'il est simple, comment se fait-il que j'éprouve tant de difficultés à le résoudre ?

Il y a une semaine que l'école a repris. Au début, j'ai cru que je n'allais avoir aucun souci puisque j'ai la chance qu'E.T. suive deux de mes cours et que nous ayons la même heure de dîner. Ajoutez à cela nos cours particuliers, et c'est gagné. Je passe avec lui beaucoup plus de temps que n'importe quel autre élève.

Et, au cours de la première semaine d'école, j'ai bien cru en effet que c'était gagné. E.T. était super gentil avec moi. L'idée de prendre notre dîner ensemble est venue de lui, non de moi. Et c'est lui également qui m'a rappelé nos cours particuliers. Tout semblait marcher comme sur des roulettes. Je m'apprêtais à attendre, tranquillement, qu'il tombe amoureux de moi comme j'étais tombée amoureuse de lui, dès que je l'avais vu.

Assise devant ma recherche de chimie, je me pose la question suivante : Pourquoi donc les choses ont-elles mal tourné ?

Premièrement, à l'école secondaire de Valmont, les nouvelles vont vite. Et les nouveaux ne risquent pas de passer inaperçus, surtout lorsqu'ils sont aussi beaux. Le premier jour, nous étions assis en tête à tête à la cafétéria. Deux jours plus tard, nous étions envahis par une vingtaine de filles qui le harcelaient de questions ou lui offraient leurs services. Ce n'étaient là que les filles qui avaient réussi à s'asseoir à notre table. Je ne parle pas de l'essaim qui bourdonnait autour des tables avoisinantes, à l'affût d'une place libre. Pendant un temps, la situation était si difficile que j'ai cru que l'on allait se taper dessus. Imaginez si l'on dévoilait un jour dans les journaux que la célèbre cicatrice de la non moins célèbre Laura Beaulieu vienne d'une bagarre à laquelle elle a participé pour un garçon, à l'âge de seize ans. Pas très brillant comme histoire.

Les garçons sont sympas avec E.T., quoique beaucoup moins que les filles. Et un ou deux gars, dont les petites amies sont tombées sous le charme d'E.T., le détestent. E.T., lui, aime tout le monde. Il est tellement occupé à tomber amoureux du pays tout entier qu'il ne fait pas attention à moi. Je perdrais donc mon temps à attendre tranquillement qu'il tombe amoureux de moi. Ce qui me ramène au point de départ : si je veux qu'E.T. tombe amoureux de moi, il va falloir que je l'y aide.

Mais voilà, comment faire ?

Si seulement Nancy était là. Elle est toujours de bon conseil. Malheureusement, elle m'a abandonnée dans mes moments difficiles.

Deux jours avant la rentrée des classes, j'ai reçu une carte postale disant qu'elle reviendrait à Valmont « quelques semaines plus tard que prévu ». Chapeau ! Comment s'est-elle débrouillée pour convaincre ses parents de prolonger ses vacances ? Par quelle ruse a-t-elle réussi à se dispenser des deux premières semaines d'école ? J'étais vexée qu'elle ne m'ait pas donné d'explications. Je sais bien qu'elle n'a pas de comptes à me rendre, mais j'aurais aimé qu'elle me donne plus de détails. Cette carte postale était incroyablement brève, ce qui ne ressemble pas du tout à Nancy. De plus, son écriture était méconnaissable ; on aurait dit un projet de calligraphie pour un cours d'arts plastiques. Et, le plus curieux, c'est qu'elle avait signé *Nanci* au lieu du *Nancy* habituel. J'espère qu'elle va bien, que les vapeurs d'alcool françaises ne lui sont pas montées au cerveau.

Une sonnerie me sort de ma rêverie. Au lieu de travailler, j'ai passé toute ma période d'étude à réfléchir et je vais sans doute le regretter au moment du contrôle. Pour l'instant, cependant, j'ai des préoccupations plus urgentes. Je dois aller dîner avec E.T. Et si je réussis à me débarrasser de toutes ces filles collantes, je pourrai de nouveau m'attaquer à mon problème majeur : faire en sorte qu'E.T. tombe amoureux de moi.

E.T. m'attend à la porte de la cafétéria. Il me fait signe et m'appelle : « Laura ! » Tous les yeux se tournent vers moi et je sens presque le feu des regards envieux me brûler. C'est bien peu de chose à supporter en échange du plaisir de dîner avec E.T. Les choses se gâtent, cependant, lorsque nous voulons nous asseoir. Il y a tellement de monde à la table où nous avons l'habitude de manger qu'il ne nous reste presque pas de place. Nous nous retrouvons donc coincés entre Marlène Jodoin et Élisabeth Cameron, les deux plus grandes flirteuses de secondaire IV. Le coin du plateau d'E.T. me rentre dans le coude.

— Viens, on va s'asseoir là-bas aujourd'hui, me propose-t-il en me montrant une table presque vide au fond de la salle.

— D'accord, dis-je, tout sourire.

Vous devriez voir les mines déçues de Marlène, Élisabeth et les autres lorsque nous nous levons. Un petit démon rigole en moi de satisfaction.

Une fois que nous avons retrouvé notre intimité, je plonge mon regard dans les merveilleux yeux noirs d'E.T.

— Comment s'est passé ton contrôle de chimie?

Je lui pose la question pour deux raisons : parce que je dois subir le même dans une heure et parce qu'E.T. l'appréhendait.

— C'était légèrement mieux que d'aller à la guillotine, me répond-il avec un sourire.

— As-tu des tuyaux à me donner?

— Pas vraiment. Monsieur Houlian a dit qu'il donnait des contrôles différents à chaque classe. Je crois quand même que tu devrais revoir l'expérience de la réaction du carbone.

— Oh non, pas celle-ci. Je l'ai refaite au moins cinq fois et je n'ai jamais eu le résultat qu'il fallait.

E.T. m'adresse un sourire réconfortant :

— Ne t'en fais pas. Tu réussiras très bien, j'en suis sûr.

Il reste un moment l'air rêveur, puis reprend :

— Laura, j'aimerais te demander un service.

S'il demandait la lune, on ne pourrait pas la lui refuser. Il a les yeux noirs et expressifs d'Al Pacino.

— Lequel ?

— Dans le cadre du programme d'échange, c'est à moi qu'il revient de collecter des fonds pour l'étudiant étranger qui viendra l'année prochaine. Je ne connais pas assez bien Valmont pour savoir ce qu'il serait bon de faire. Toi, tu as vécu ici toute ta vie...

— Tu n'as pas besoin de me le rappeler.

— En tout cas, je me suis dit que tu pourrais peut-être me trouver des idées. Tu veux bien ?

— Évidemment, E.T., dis-je en lui touchant la main. Je vais y réfléchir, d'accord ?

— Tu es vraiment sympa, Laura.

Pas très romantique comme compliment, mais c'est mieux que rien.

Le sourire que j'adressais à E.T. en remerciement a dû se figer en voyant le spectacle qui s'offre soudain à mes yeux : une fille vêtue d'un collant en résille, de cuissardes noires et d'une mini-jupe noire émaillée de clous. Elle a le cou enserré dans un truc qui ressemble à un collier de chien. Elle a les cheveux courts dressés sur la tête et ses boucles d'oreilles pourraient sortir tout droit du coffre à pêche de mon père : elles sont faites de plumes, de métal et attireraient un brochet de cinq kilos si on les jetait à l'eau. Cette fille ressemble étrangement à Nancy. Correction : cette fille n'est nulle autre que Nancy! Mon Dieu! On dirait que mon amie l'artiste, ma timide et tranquille amie, a été retenue captive par un groupe de musiciens de rock punk.

Nous nous voyons en même temps.

— Laura! s'écrie-t-elle en venant vers nous, et comme elle s'approche de notre table, une bouffée de parfum nous fait suffoquer.

— *Nancy?*

En voyant le tableau, j'ai du mal à croire que ce soit elle : visage trop poudré, yeux bordés d'un épais trait noir, lèvres soulignées de rouille, pommettes rouge vif, elle ressemble à un clown.

— Chicos! Ma Lolo! Ce que tu m'as manqué! dit-elle en me prenant dans ses bras et en m'embrassant.

Elle m'a sûrement barbouillée de poudre et de rouge à lèvres. C'est correct de s'embrasser, mais ici, on n'a pas l'habitude de le faire au beau milieu de la journée, à moins que ce ne soit avec un garçon. Je jette un coup d'oeil à E.T. Il a l'air en état de choc.

— Étienne, dis-je brusquement pour lui faire reprendre ses esprits, je te présente Nancy Marcotte, ma meilleure amie. Nancy, Étienne Lefermier.

Cet énergumène, ma meilleure amie? E.T. doit me prendre pour une folle. Je m'empresse donc d'ajouter :

— Nancy a passé l'été sur la Côte d'Azur. Quand es-tu revenue?

Je pose la question à Nancy en me disant qu'il est curieux

qu'elle ne m'ait pas téléphoné pour m'annoncer son retour.

— À mi-lune la nuit dernière. Avec le décalage horaire, le réveil, ce matin, ça a été douleur. Le temps que je me caféine, il était presque midi. Je me suis rappliquée ici et j'ai décidé de folâtrer un peu avant d'aller chercher mon horaire au bureau de Gilbert.

Bien que j'aie écouté attentivement, je n'ai compris que la dernière partie de la dernière phrase. Et pendant qu'elle baragouinait, Nancy n'a pas quitté E.T. des yeux.

— Alors comme ça, on s'appelle Étienne? dit-elle en lui adressant un sourire éclatant.

— Tu peux m'appeler E.T., comme tout le monde.

Nancy pousse un petit gloussement tout en caressant les clous de son collier de chien.

— E.T., ça, c'est vraiment craquant!

Ce disant, Nancy consulte sa montre sur laquelle je ne vois d'ailleurs pas comment elle peut lire l'heure car le spécimen n'a aucun chiffre et qu'une seule aiguille.

— Bon, il faut que je fonce, déclare-t-elle allègrement. Je voulais juste reprendre le contact, Lolo. Je te bigophone ce soir.

Sur ce charabia, elle disparaît, dans un tourbillon métallique, perchée sur ses bottes à talons hauts. Aïe aïe aïe! E.T. regarde mon amie s'en aller.

— Tu t'attendais sûrement à autre chose, lui dis-je.

Il se contente de me sourire. Je donnerais cher pour savoir ce qu'il pense.

Nancy — ou plutôt Nanci — me rend complètement folle. Croyez-moi, elle n'a pas changé que la dernière lettre de son nom. Je n'arrive pas à croire qu'elle ait pu changer à ce point. Où est-elle la timide Nancy qui me demandait de l'accompagner à sa première sortie avec un garçon? Où est passée la gentille artiste que je connaissais? Le côté artistique de sa personnalité n'a pas complètement disparu. Elle aime encore jouer avec les couleurs et les peintures. La seule différence, c'est que la toile, c'est elle-même. Il y a des jours où elle ressemble à un distributeur de boules de gomme.

Pour dire la vérité, j'éprouve même de la difficulté à causer avec elle. Elle parle un langage quasiment incompréhensible ponctué, entre autres, de *chouettos!*, de *c'est craquant* et de *méga*. Le pire de tout n'est ni sa façon de s'habiller ni celle de s'exprimer, mais bien son attitude, et plus particulièrement son attitude envers E.T.

Il m'a fallu un certain temps pour saisir ce qui se passait. On ne s'attend jamais à ce que notre meilleure amie marche sur nos plates-bandes, même si cette amie porte d'immenses ciseaux noirs en guise de boucles d'oreilles. Au début, j'ai cru qu'elle me posait beaucoup de questions au sujet d'E.T. parce qu'elle savait qu'il m'intéressait. Comment ai-je pu être aussi naïve? En fait, elle m'interrogeait pour son propre compte.

J'ai commencé à comprendre son manège le jour où j'étais censée retrouver E.T. à son casier après les cours. Nous avions rendez-vous avec monsieur Gilbert, le directeur. Sans vouloir me vanter, j'avais trouvé une bonne douzaine d'idées pour ramasser des fonds destinés à l'étudiant étranger qui viendrait l'année prochaine. Au moins la moitié d'entre elles me paraissaient lumineuses et j'étais plutôt de bonne humeur. Je m'apprêtais à inviter E.T. à souper chez moi. Nous aurions pu étudier ensemble après le repas, et si tout allait bien... vous m'avez comprise.

Un sourire radieux aux lèvres, je me dirige vers le casier d'E.T., et qu'est-ce que je vois? E.T. et Nanci. Nanci porte un caleçon noir et, par-dessus, une veste kaki dont les manches sont en lambeaux. Même pour aller soigner un cochon, papa ne porterait pas une guenille pareille. Aux yeux de Nanci, cependant, cet accoutrement représente de la haute couture.

Elle est tellement proche d'E.T. que s'il bougeait, elle risquerait de tomber.

— Lau! m'appelle-t-elle comme je m'approche d'eux.

Non contente de changer son propre nom, elle a aussi changé le mien. Depuis son retour, elle m'a affublée successivement des surnoms suivants, tous plus insignifiants les uns que les autres : Laurita, Lau, Lolo, Rara.

— Salut! dis-je d'un ton froid, et je lance à E.T. un regard interrogateur signifiant « Qu'est-ce qui se passe ici? »

E.T. hausse les épaules comme pour dire que, quoi que Nanci ait en tête, il n'y est pour rien. Je remarque malgré tout qu'il ne s'écarte pas d'elle pour autant.

— Salut, Laura, finit-il par dire. Nanci me disait justement qu'elle aime beaucoup aider les étudiants étrangers.

— Tiens donc! dis-je en leur jetant un regard glacial.

— Mais oui, Lau, dit-elle en s'approchant un peu plus d'E.T. Je vais cheminer avec vous jusque chez Gil. Je ferai le max pour aider, tu sais.

Je sais, je sais. Et soudain, tout est clair comme de l'eau de roche. Nanci veut faire tout ce qu'elle peut, mais pas pour aider l'étudiant étranger qui viendra l'an prochain. Non. Elle veut faire tout ce qu'elle peut pour E.T. *Mon* E.T.! Je suis tellement choquée que j'aurais le goût de crier.

— Je me demande pourquoi vous êtes encore amies après tout ce que tu me racontes, me dit mon frère Richard après que je lui aie conté mes mésaventures.

— Moi, je sais pourquoi, intervient mon autre frère Jean-Luc. Laura veut apprendre de Nanci comment se maquiller pour lui ressembler.

— Oh, ferme-la, Jean-Luc.

Je renforce mon ordre par un tir de coussin dans sa direction. Ça ne m'étonne pas de Jean-Luc qu'il apprécie l'allure de Nanci. Mais je n'ai pas le temps de m'attarder sur les goûts douteux de mon frère aîné. Je suis pris dans un dilemme épouvantable. J'explique donc à Richard :

— La difficulté, tu vois, c'est que je dois rester amie avec elle, sinon elle va se rabattre sur E.T.

Après avoir réfléchi quelques minutes, Richard me répond de son air sérieux :

— Je ne connais pas ce fameux E.T., mais il doit bien avoir une opinion à lui, non? S'il est aussi extraordinaire que tu le prétends, Laura, est-ce que Nanci ne le dérange pas, lui, comme elle te dérange, toi?

Il a raison. Je n'avais pas pensé qu'E.T. pouvait avoir une opinion personnelle et en arriver à la bonne conclusion. Malgré tout, je ne vais pas prendre de risque. Si je veux qu'E.T. tombe amoureux de moi, il va falloir que je mène une lutte de tous les instants. J'ai déjà l'avantage d'être trois fois par semaine avec lui, après l'école, pendant nos cours particuliers. C'est un atout. Par contre, la réunion avec monsieur Gilbert ne s'est pas passée aussi bien que je l'aurais voulu. Mes idées ont bien plu au directeur, là n'est pas le problème.

Il a même adopté celle que je préférais, à savoir que la mairie de Valmont commandite une grande soirée dansante. Le hic, c'est que Nanci participe à ce projet, et que, où que j'aille et quoi que je fasse, elle est là, prête à s'abattre sur E.T.

Il est bien dommage qu'elle me cause tant de tracas car, sans elle, j'aurais pu me donner à fond dans ce projet de soirée dansante qui ne va, d'ailleurs, pas en être une comme les autres. Je vais vous expliquer. Chaque participant(e) va remplir un questionnaire indiquant son âge, sa profession, ses passe-temps, ses goûts, etc. Le soir de la danse, chacun sera jumelé avec son(sa) partenaire « idéal(e) ». Un employé de la mairie nous a offert d'entrer les données dans son ordinateur afin de former les couples. Quel soulagement ! J'ai craint un moment que nous n'ayons à le faire nous-mêmes, ce qui aurait été un sacré casse-tête car, dès lors qu'on a annoncé cette soirée dansante, tout le monde a décidé d'y participer. La dernière fois qu'on a compté, on avait reçu plus de mille questionnaires. À trois dollars chacun, en ayant le gymnase de l'école gratuitement et en servant des rafraîchissements offerts par le supermarché, ça fait trois mille dollars de profit net.

Je mériterais une médaille pour avoir eu cette idée géniale, ou au moins une mention honorable à mon dossier. Il semble bien que je n'aurai ni l'une ni l'autre car, croyez-le ou non, Nanci est en train de s'attribuer le mérite de ce projet. Eh oui ! Elle fait courir le bruit que l'idée vient d'elle. Il est possible — et je l'espère — que personne ne la comprenne vu le jargon dans lequel elle s'exprime. De plus, E.T. sait parfaitement que l'idée vient de moi et seule son opinion compte pour moi.

Parlant d'E.T., je suis justement en retard pour notre cours. J'espère qu'il n'est pas parti. Non, il m'attend bien sagement près de son casier.

Malheureusement, pas seul. En compagnie de Nanci. Elle

porte une nouvelle tenue aujourd'hui : un chandail molletonné dix fois trop grand qui lui arrive au genou, par-dessus un collant vert fluo à paillettes violettes. C'est stupéfiant. Je ne comprends pas pourquoi l'école la laisse venir déguisée de la sorte. J'en arrive presque à regretter l'abolition du port de l'uniforme.

— Es-tu prêt pour notre cours ? dis-je à E.T., et j'adresse à Nanci un sourire de requin car, là, elle ne peut pas se trouver d'excuse pour nous accompagner.

— Oui, j'étais en train de donner mon questionnaire à Nanci. Elle m'a dit qu'elle le déposerait car c'est le dernier délai aujourd'hui.

— Le dernier délai ?

— Eh oui, Rara, c'est l'heure H. Les questionnaires doivent arriver avant quatre heures.

— Oh zut, j'ai complètement oublié. Je n'ai même pas rempli le mien.

— C'est correct, dit E.T. en me tapotant l'épaule dans un geste de réconfort. Tu en as encore le temps. Nous pouvons annuler notre cours aujourd'hui, d'accord ?

Il me fait un clin d'oeil auquel je n'ai même pas la présence d'esprit de répondre. Pour E.T., nos cours n'ont peut-être pas d'importance, mais pour moi, ils sont une question de vie ou de mort.

— C'est giga ! Puisque tu dois aller en ville, tu pourrais déposer nos questionnaires...

Avant que j'aie pu dire un mot, Nanci me tend les deux enveloppes cachetées, et avec un sourire triomphant, elle ajoute :

— Ne te fais pas de bile, je m'occupe d'E.T.

Et voilà! Il arrive exactement ce que je craignais et je ne peux rien y faire. Je dois absolument remplir mon questionnaire et aller le déposer en ville, sinon je n'irai même pas à la soirée dansante. Attendez voir, il y a peut-être quelque chose que je peux faire… quelque chose de tellement traître que Nanci elle-même y aurait pensé. Puisque les enveloppes n'ont pas de timbre, je ne commettrai pas de crime, mais un petit délit privé, qui ne portera pas vraiment à conséquence.

Devrais-je le faire?

Tout en me rendant en ville, je palpe les deux enveloppes dans ma poche. Ce serait facile de les ouvrir et de les lire. Après tout, je ne veux pas prendre de risques. E.T. va être jumelé à quelqu'une. Tant qu'à faire, je préfère que ce quelqu'une, ce soit moi. Je pourrai ensuite apporter quelques changements, si nécessaire, au questionnaire de Nanci.

C'est malhonnête, je le sais. Mais ne dit-on pas qu'en amour comme à la guerre tout est permis? Et dans cette situation, il y a un peu des deux. J'ai presque décidé de le faire quand une idée gênante traverse mon esprit : qu'arrivera-t-il si E.T. découvre ma supercherie, si on nous redonne nos questionnaires à la soirée dansante et qu'on reconnaît mon écriture sur celui de Nanci? E.T. est tellement honnête qu'il ne m'adresserait sans doute jamais plus la parole. Alors, adieu mes amours! Et pourtant, si je pouvais m'en tirer à bon compte, ça vaudrait la peine de le faire, vous ne trouvez pas?

Si tu penses que Laura décide de falsifier les questionnaires, va à la page 84.

Si tu penses que Laura décide de ne pas toucher aux questionnaires, saute à la page 94.

55

Il n'est pas question que je laisse José à Nanci au bal de la moisson. Dans ma famille, on n'est pas du genre à abandonner facilement la partie.

Je décide donc de m'habiller comme Nanci. Pas *exactement* comme elle, cependant, car mes parents ne me laisseraient pas sortir avec une jupe aussi courte. Je parviens néanmoins à une assez bonne imitation. Je me souviens tout d'abord d'un pantalon d'intérieur à motif léopard que papa a offert à maman à un de ses anniversaires. Je suis certaine de le trouver car ma mère ne jette jamais rien, surtout pas des cadeaux, quel que soit leur état. Je le trouve en effet. Il est tout neuf ; il n'a sûrement jamais été porté. Trop long et trop large pour moi, je le resserre à la taille à l'aide d'une large ceinture noire, et j'en roule les bords comme un pantalon corsaire.

Maintenant, il faut que je me trouve un haut. Le vieux tee-shirt noir de mon père qu'il met pour laver sa camionnette serait parfait. Je déniche l'antiquité dans le garage, j'en brosse les poils de chien et de chat et le trempe dans une cuvette d'eau bouillante afin de tuer tout organisme éventuellement vivant. Une fois l'immense tee-shirt lavé et séché, je constate qu'il est en excellent état, excellent pour moi, en tout cas, puisqu'il est déchiré à une épaule et tout troué dans le dos.

Pour ce qui est des bijoux, rien de plus facile, tout est dans le coffre à pêche de mon père. En prenant bien soin d'enlever les hameçons, j'enfile des accessoires à plumes, colorés ou brillants pour m'en faire un collier. Juste au moment où j'essayais ma tenue, maman entre dans ma chambre. Haussement de sourcils quand je lui dis que c'est mon habillement pour le bal de la moisson.

— C'est un bal costumé cette année? me demande-t-elle.

— Hmm.

Je ne réponds ni par oui ni par non. C'est à elle d'interpréter mon « hmm ». Je pourrai ainsi par la suite lui faire remarquer que je n'ai pas menti, qu'elle m'a simplement mal comprise.

Le soir du bal, je me rends chez Nanci après avoir demandé à José de venir nous chercher toutes les deux chez elle.

Vous devriez voir l'expression de Nanci quand elle ouvre la porte. Pendant une délicieuse minute, j'ai l'impression qu'elle va s'évanouir. Ou mieux encore, qu'elle va se mettre à pleurer. Si les membres de la troupe pouvaient la voir en cet instant, ils me donneraient une médaille. Même le timide et gentil Marc apprécierait cette scène.

Puis il se passe une chose incroyable. Le visage de Nanci se métamorphose. L'expression de surprise disparaît et elle me dit d'un ton naturel, comme si j'étais en simples jean et tee-shirt :

— Entre, Laurita.

Il n'est pas question qu'elle s'en tire à si bon compte, pas après tout le mal que je me suis donné pour me confectionner cet accoutrement.

— J'espère que ma tenue te plaît. J'ai pensé que ça pourrait être amusant qu'on soit habillées un peu pareil.

57

— Hmm.

Tiens, le même « hmm » que j'avais répondu à maman quelques jours auparavant. Nanci m'invite à monter dans sa chambre, m'ignore carrément et se met une dixième — sinon plus — couche de mascara. C'est elle qui devrait être comédienne, pas moi.

Je fais de nouvelles tentatives :

— Comment trouves-tu ces boucles d'oreilles ?

— Hmm.

— Est-ce que je devrais mettre plus de mascara ?

— Hmm.

— Ce serait chicos, non, un mélange d'ombres à paupières prune et vert pomme ?

— Hmm.

Nanci pourrait faire une carrière d'espionne. Il faudrait des heures d'interrogatoire pour la faire parler. J'étais sur le point d'abandonner quand on sonne à la porte. C'est José. Il va forcément remarquer mon déguisement et, délicat comme il est, faire un commentaire du genre : « Qu'est-ce qui t'a pris, Laura, de t'habiller comme un clown ? ».

Quelle n'est pas ma surprise de constater qu'il a bel et bien remarqué mon habillement mais qu'il ne fait aucune réflexion. Craint-il de vexer Nanci ? Pendant quelques affreuses minutes, je les soupçonne même de conspirer contre moi en ayant décidé à l'avance de m'ignorer. J'en doute fort mais c'est possible. Avec Nanci, tout est possible.

Pendant tout le trajet, je suis d'une humeur plutôt maussade. Et une fois arrivée dans la salle des fêtes de l'hôtel de ville, là où a lieu le bal, je commence à me sentir gênée. Sans vouloir paraître prétentieuse, je suis en général assez coquette. Et voilà que je me retrouve en pantalon bouffant et tee-shirt en lambeaux, le cou enserré dans un collier ridicule, le visage recouvert d'une couche de maquillage plus épaisse que du glaçage sur un gâteau. Le pire, c'est que personne ne semble me trouver différente de ce que je suis tous les jours.

Heureusement que je tombe sur les jeunes qui font partie de la distribution de *Mélodie Rock*. Là, je commence à faire sensation. Au début, ils se contentent de me dévisager. Puis, au fur et à mesure qu'ils comprennent ce que j'ai voulu faire — m'habiller, à dessein, comme Nanci —, ils se mettent à rire. Finalement, ce sont eux qui profitent de la situation car ils ont, eux aussi, un compte à régler avec Nanci.

— Hé, Nanci! crie l'un d'eux. Je ne savais pas que tu donnais des conseils de mode aux copines!

Une fille du chœur s'approche de Nanci et lui demande d'un ton sérieux :

— Pourrais-tu t'occuper de moi? J'ai toujours voulu savoir comment tu arrivais à avoir ce *look* si spécial. S'habiller avec des guenilles, c'est génial. Au moins, ça ne coûte pas cher.

Je dois pincer les lèvres pour ne pas éclater de rire. Quel plaisir j'éprouve en cet instant. La vengeance est douce, dit-on. C'est vrai. Plus les jeunes se moquent de Nanci, plus j'ai de plaisir. C'est encore meilleur que du champagne.

Cette agréable sensation dure environ dix minutes. Puis, tout comme celui du champagne, l'effet s'arrête soudainement et je reviens brusquement sur terre. Regardant Nanci, je vois des larmes se mêler à ses nombreuses couches de mascara. Et savez-vous ce qui m'arrive? J'ai envie de pleurer moi aussi. Après tout ce qu'elle m'a fait, j'ai quand même pitié d'elle. La vengeance est douce, c'est vrai, mais on doit préciser qu'il faut avoir des nerfs d'acier et un coeur de pierre pour être capable de la savourer. Comme je n'ai ni les uns ni l'autre, j'en suis incapable. Et au lieu de me rappeler tous les sales tours que m'a joués Nanci au cours des deux derniers mois, je me souviens de sa gentillesse passée. Je me souviens que, ma voix n'étant pas assez bonne pour faire partie de la chorale à l'école primaire, pour que je ne sois pas frustrée, d'elle-même, elle s'en est retirée. Je me rappelle aussi le jour où un de mes chats est mort, elle m'a aidée à l'enterrer dans le jardin. Des amies comme elle, ça ne court pas les rues. Par conséquent, lorsque Nanci sort de la salle en courant, le visage baigné de larmes, je cours derrière elle, le visage également baigné de larmes.

— Arrête de me suivre! me lance-t-elle.

Je la talonne quand même et entre à sa suite dans la première toilette venue. C'est malheureusement celle des hommes, détail que nous ne remarquons que lorsque nous croisons deux gars, l'un d'eux nous faisant remarquer que nous nous sommes égarées.

— Je t'ai dit de me laisser tranquille! crie de nouveau Nanci.

— Non, je ne te laisserai pas tranquille!

Je crie moi aussi pour lui montrer que je suis sérieuse.

Nanci reprend sa course dans un corridor sombre, moi sur ses talons. Arrivée au bout du couloir, elle est coincée. Elle se retourne et me regarde, à bout de souffle et sanglotante :

— Pourquoi… fais-tu… ça?

— Quoi? Te suivre?

— Non, dit-elle en pleurant. Pourquoi t'habilles-tu comme moi, pourquoi te moques-tu de moi? Qu'est-ce que je t'ai fait d'abord?

D'abord, tu m'as pris José. Je ne le lui dis pas, cependant, car je suis tout honteuse.

— C'était stupide de ma part, Nanci. Je voulais juste plaisanter. Je suis désolée.

Au lieu de se calmer, Nanci repart de plus belle. Elle pleure maintenant à gros sanglots, sans aucune retenue. Je m'approche d'elle et lui touche le dos en essayant de la consoler :

— Nanci, ce n'est rien, calme-toi. Je suis vraiment désolée. Là, tout est arrangé.

Nanci bredouille quelque chose d'incompréhensible. Entre deux sanglots, j'essaie de deviner ce qu'elle dit :

— Rien n'est arrangé au contraire. J'ai tout gâché. Quand je suis revenue de France, je voulais être populaire — aussi populaire que tu l'as toujours été, toi — et maintenant, tout le monde me déteste ! Tout le monde !

— Tout le monde ne te déteste pas, voyons, lui dis-je, quoique je n'en sois pas si sûre. Tiens, moi, par exemple, je ne te déteste pas.

Les pleurs s'arrêtent une seconde. Elle me regarde d'un air incrédule :

— C'est vrai ? Tu ne me détestes pas ?

— Mais non, voyons. J'étais un peu fâchée contre toi ces derniers temps. Tu sais, tu as un drôle de comportement et…

Il n'en fallait pas tant pour rouvrir les vannes. Elle se remet à sangloter :

— Je le sais. Je suis devenue folle. Il va falloir m'enfermer dans un hôpital psychiatrique. Personne ne voudra jamais plus m'adresser la parole. On ne me laissera peut-être même pas assister à la soirée de graduation !

La situation commence à être hors de contrôle. Je la prends donc par les épaules en la secouant légèrement :

— Écoute, je ne comprends pas très bien ce qui s'est passé ces dernières semaines, mais je suis certaine qu'on peut arranger les choses en bavardant toutes les deux.

— Tu crois ?

— Mais oui. Regarde ce que nous allons faire. Tu pourrais appeler tes parents et leur dire que tu vas dormir chez moi. Comme ça, on pourra parler aussi longtemps qu'on voudra.

Le visage de Nanci s'éclaire et, pour la première fois depuis longtemps, j'entrevois l'ancienne Nancy, la Nancy que je connaissais.

— C'est une bonne idée, Laura, dit-elle en me pressant la main.

J'ai l'impression d'être une éponge : quand elle me presse la main, des larmes perlent dans le coin de mes yeux.

— Viens, on va dire à José qu'on s'en va, dit-elle.

— Euh... tu devrais peut-être m'attendre ici pendant que je vais chercher José.

J'ai essayé d'être pleine de tact, en vain.

— Je suis moche, hein ?

— C'est-à-dire que... ton visage a l'air d'un dessin au fusain qui serait resté sous la pluie.

Je laisse Nanci dans le corridor et pars à la recherche de José. Où est-il ? Je fais deux fois le tour de la salle, en vain. Puis je l'aperçois sur la piste de danse en compagnie de Maria

Fernandez, rien que ça! Comme si je n'avais pas déjà assez à faire, il faudrait en plus que je le surveille. Ça alors! Cette chanson va être longue, c'est sûr. Je me dirige donc tout droit vers eux et arrache José à Maria en disant :

— On s'en va.

José me regarde d'un air ébahi.

— Qui ça?

— Nanci et moi.

Je commence à m'impatienter. José a l'air endormi.

— Ah bon? dit-il finalement. Et je dois aller avec vous?

Là, il m'énerve. Je réplique :

— Évidemment que tu dois venir avec nous. Tu ne t'imagines pas qu'on va se promener toutes les deux seules dehors à plus de minuit? Allez, va chercher ta veste.

— Franchement, tu aurais pu être un peu plus délicate, se plaint José tout en me suivant.

— Il y a du nouveau. Je n'ai pas le temps d'être délicate.

Je remarque alors l'expression froissée de José. J'ajoute donc :

— Excuse-moi. Je t'expliquerai tout demain, c'est promis.

Il me sourit.

— C'est un rendez-vous?

José est un gars vraiment facile à vivre. Il est tellement gentil. Je suis très contente de m'être battue pour l'avoir, et je le suis encore plus de sortir avec lui demain soir. D'ici là, je l'espère, les choses seront arrangées avec Nanci, ou, du moins, en bonne voie de l'être.

63

Effectivement, les choses s'arrangent entre Nanci et moi, mais pas du jour au lendemain. Chacune de nous doit s'efforcer de changer pour pouvoir remettre notre amitié sur le bon chemin. Cette constatation m'a choquée, je dois l'avouer. Sans me croire parfaite, j'avais l'impression que Nanci était la seule responsable des problèmes qui surgissaient entre nous. Alors, quand elle m'a expliqué qu'elle était peinée que je sois la plus populaire, la plus bavarde, celle que l'on invitait toujours aux soirées la première, j'ai compris que j'étais fautive moi aussi. J'aime être le centre d'intérêt, mais pas au point d'y gâcher mon amitié avec Nanci. Je m'efforce donc de laisser une chance à Nanci de parler, surtout quand nous sommes avec d'autres jeunes. Après tout, je peux attirer toute l'attention dont j'ai besoin quand je suis sur scène. Et celle de José aussi, évidemment. Adorable José. Lors de notre sortie le lendemain du bal de la moisson, nous avons réglé tous nos problèmes. Il s'est excusé d'avoir été ébloui par Nanci et m'a dit que, désormais, il essaiera d'être plus sensible à mes sentiments.

Le plus gros changement, c'est à Nanci qu'il revient. Si elle change de l'intérieur, nous serons probablement les seules à le constater. Elle doit également changer son aspect extérieur, son habillement par exemple. Sans parler de son comportement. Ce qui ne va pas être facile, c'est de faire changer l'opinion des jeunes de la troupe à son égard. Depuis le début, elle a été odieuse avec eux, et ce n'est pas en disant simplement : «Excusez-moi, les amis, j'ai commis une grave erreur» qu'elle peut réussir à les convaincre.

J'admire Nanci pour son courage. Au début, personne ne semble remarquer qu'elle est gentille avec tout le monde. Eux continuent à être méchants et ce doit être bien décourageant pour elle. En fait, je la comprendrais si elle laissait tout tomber et démissionnait de son poste d'adjointe au metteur en scène. Elle ne le fait pas et, au bout de quelques scmaines, l'attitude des jeunes envers elle commence à changer. Même celle de Marc.

— Finalement, ton amie Nanci n'a pas l'air aussi folle que je pensais, me dit-il un soir après la répétition. Je commence à me dire que ce serait plutôt toi la niaiseuse.

— Moi? Pourquoi?

Marc a un petit sourire malicieux.

— Parce que je t'ai déjà invitée deux fois à sortir avec moi et tu m'as refusé les deux fois. Un beau gars comme moi. Il faut que tu sois niaiseuse pour faire une chose pareille, non?

— Ou que je sorte déjà avec quelqu'un, dis-je en indiquant José qui m'attend au bout de la scène.

J'aime bien Marc, sincèrement. Si je pouvais me partager en deux, une partie de moi sortirait avec José et l'autre aimerait faire plus ample connaissance avec Marc.

— Tiens, j'ai une idée. Si on sortait tous les quatre ensemble, toi, Nanci, José et moi?

Expression ahurie de Marc.

— Nanci et moi? Je ne sais pas, Laura...

Je le taquine :

— Allez, tu la trouves séduisante, non? Je le sais, je t'ai vu la regarder à plusieurs reprises ces derniers temps.

— C'est vrai. J'ai été surpris de voir comme elle est mignonne sans tout ce maquillage.

— Alors, comme ça, tout est arrangé.

— Bon, bon, d'accord, je me résigne.

Le sourire qu'il arbore à ce moment-là n'a rien de résigné.

Notre sortie à quatre s'avère un succès. De toutes les idées lumineuses que j'ai pu avoir en un mois, celle-ci a été la meilleure. Nous allons d'abord voir un film d'horreur tellement comique que nous sommes tous morts de rire.

Après le cinéma, nous nous rendons au Domino, une discothèque où se produisent des groupes rock. Nous commandons des Coke et une énorme portion de frites. Tout en mangeant, j'observe Marc et Nanci. Ils ont l'air de bien s'accorder. Nanci ne s'exprime plus dans son jargon «d'enfer» et Marc semble apprécier la compagnie de ma meilleure amie. J'ai l'intuition qu'ils pourraient former un couple parfait.

Un moment plus tard, Marc invite Nanci à danser. Elle accepte aussitôt. Ils disparaissent bientôt de ma vue, perdus au milieu de la soixantaine de jeunes qui s'entassent sur la minuscule piste de danse. José passe son bras autour de moi.

— Ça va marcher tous les deux, tu verras, me dit-il.

Comment a-t-il lu dans mes pensées, je me le demande.

— Tu me le promets?

— Non, je peux pas te le promettre, mais je pense que c'est bien parti.

— Tu as raison.

Nous nous taisons un moment. La musique nous martèle le cerveau.

— Et pour nous, est-ce bien parti? me demande José.

— Je crois que oui, dis-je en me blottissant dans le creux

66

douillet de son bras.

— Tu en es sûre ?

— Oui, j'en suis sûre.

Et pour lui prouver ce que j'avance, je l'embrasse. C'est notre premier baiser en public. À Valmont, si l'on vous voit vous embrasser dans un endroit aussi fréquenté que Le Domino, c'est comme si vous déclariez officiellement que vous sortez avec Untel, ce qui ne me dérange pas car j'aime assez l'idée d'être la petite amie de José Fortin.

Après notre troisième ou quatrième baiser, je demande à José :

— Veux-tu danser ?

— Non, refuse-t-il tout en me caressant les cheveux, j'ai plus agréable à faire.

— Mmmm, je vois ce que tu veux dire, dis-je en l'enlaçant.

Nous nous embrassons de plus belle, ce qui, si vous voulez mon avis, est indéniablement plus agréable que de danser ou que de faire à peu près n'importe quoi d'autre.

FIN

C'est décidé : je laisse Nanci et José se débrouiller tous les deux. Par conséquent, lorsque, un ou deux jours après que Marc m'ait invitée à sortir, Nanci me dit :

— Chicos ! On va passer un moment méga cool tous les trois au bal de la moisson cette année, hein, Rara ? (Tous les trois, c'est elle, José et moi, évidemment.)

Je lui réponds d'un air triomphant :

— Je ne vais pas au bal de la moisson cette année.

Les yeux charbonneux de Nanci sont écarquillés d'incrédulité.

— Mais voyons, Rara…

Au bord de la crise de nerfs, je lui hurle :

— Je ne m'appelle pas Rara !

Nanci recule d'un pas comme si elle avait peur que je la frappe.

— Je ne savais pas que tu étais si jalouse de moi, Rara.

— Jalouse ? Moi ? De toi, en plus ?

— Parfaitement. Tous les membres de la troupe le sont — ils m'en veulent d'avoir été choisie comme adjointe au metteur en scène. Mais de ta part, ça, je ne m'y attendais pas…

Elle a l'air tellement détraquée que j'ai presque pitié d'elle. Les jeunes ne sont pas jaloux d'elle. Ils ne l'aiment pas, c'est vrai, pour la bonne raison que c'est une vipère. Je pourrais le lui dire mais à quoi cela servirait-il? Elle ne me croirait même pas. Elle prétendrait que c'est la jalousie qui me fait parler. Pauvre Nanci. Et pauvre José aussi, si c'est avec ce genre de fille qu'il veut sortir.

La soirée à laquelle m'emmène Marc n'est pas du tout ce que j'attendais. Et probablement pas ce qu'il attendait non plus. Il n'y a pas de musique, pas de danse, et presque personne. Moi qui me félicitais justement d'avoir pris la bonne décision et qui me réjouissais de passer une soirée extraordinaire. Je parie que Nanci et José s'en donnent à coeur joie au bal de la moisson.

Marc a dû remarquer ma déception car il me dit :

— Il est encore tôt, Laura. D'autres jeunes vont sûrement arriver.

— Tu as raison, dis-je courtoisement tout en m'efforçant de ne plus penser à Nanci et à José.

— Aimerais-tu boire quelque chose?

— Volontiers.

Pauvre Marc. Il est tellement adorable. Ce n'est pas sa faute si la soirée est nulle.

Il revient deux minutes plus tard avec deux verres.

— Merci, tu es gentil.

— Toi aussi.

Et là se termine notre conversation. Si la soirée était plus vivante, nous aurions pu danser ou causer avec d'autres jeunes. Nous sommes un peu gênés. C'est tellement tranquille ici qu'on a l'impression d'être dans un salon funéraire. Je me racle la gorge et fais une tentative :

— Combien de cours prends-tu cette année ?

— Sept, me répond Marc. Et toi ?

— Six et une période d'étude.

— J'ai sacrifié ma période d'étude pour faire partie de la fanfare.

— C'est bien.

Nous restons plantés là, muets, pendant encore quelques minutes. Puis quelqu'un apporte un jeu d'échecs et commence à placer les pions. Je n'arrive pas à croire que j'aie raté le bal de la moisson pour assister à *ça* ! À défaut de mieux, Marc et moi nous joignons au petit groupe qui s'est rassemblé autour du jeu. Au bout de quelques minutes, Marc me demande si j'aimerais jouer une partie. Je lui avoue :

— Je ne sais même pas comment faire avancer les pièces.

Marc se penche vers moi et me chuchote à l'oreille :

— J'ai une idée. Tu aimerais partir d'ici et aller dans un endroit très spécial ?

— Bien sûr.

Je suis tellement soulagée que j'en oublie de lui demander où nous allons. De toute manière, n'importe quel endroit, même un cimetière, serait plus animé que cette soirée-ci.

Une fois dehors, nous respirons tous les deux à pleins poumons l'air frais de l'automne, puis nous éclatons de rire.

— C'était bien la pire soirée à laquelle je sois jamais allé, dit Marc en prenant les clés de son auto dans sa poche.

— Moi je suis déjà allée à des soirées pires que celle-ci.

— Ah bon?

— Oui. Je me rappelle la première soirée mixte à laquelle j'ai participé. Oh là là, un vrai désastre. En secondaire I, Nanci et moi nous avons décidé qu'il était temps pour nous de rencontrer des représentants du sexe masculin. Nous avons donc envoyé une douzaine de cartes d'invitation à des filles et une douzaine à des garçons.

— Et alors, qu'est-il arrivé?

— Toutes les filles sont venues.

— Et aucun gars?

— Non, pire, un seul est venu. J'ai cru m'évanouir.

Nous sommes sortis de la ville et roulons maintenant en pleine campagne. Marc passe son bras sur mon épaule.

— Il a dû bien s'amuser, le chanceux.

— Oh non, pas du tout. Et depuis ce jour-là, il est odieux avec les filles. On dirait que cette soirée l'a traumatisé.

Marc éclate de rire.

— Cette Nanci avec laquelle tu as organisé cette soirée, ce n'est pas la même que celle que je connais?

— La Terreur de Valmont? Si, c'est la même.

Marc me jette un coup d'oeil surpris. Je rectifie:

— Enfin, pas tout à fait la même. Nanci a beaucoup changé depuis ce temps-là.

Cette remarque m'amène à raconter à Marc l'histoire de

71

Nanci et moi. J'inclus même dans mon récit le passage concernant José. Je n'aurais pas dû mais les mots sont sortis machinalement de ma bouche.

Marc retire aussitôt son bras de mon épaule.

— Ça veut dire que tu n'es sortie avec moi que pour te venger de ton amie et de ton petit ami?

Malgré le calme de sa voix, je comprends qu'il est vexé. Qui ne le serait pas? Je me sens stupide et m'empresse de lui répondre :

— Non, pas du tout. Je ne suis pas du genre à sortir avec un garçon pour en embêter un autre. Je suis sortie avec toi parce que tu me plais beaucoup. Tu peux ne pas me croire, mais c'est la vérité.

Marc ralentit un peu, puis il fixe sur moi ses yeux bruns si tendres.

— Je te crois, Laura.

Puis il ajoute :

— De moi aussi, il y a quelque chose que tu dois savoir.

— Quoi?

— Tu ne me connais que par les répétitions et je suis content de te plaire, mais cette personne-là, ce n'est pas tout à fait moi.

— Je ne comprends pas, dis-je, un peu nerveuse.

Marc ralentit de nouveau et tourne dans une route asphaltée étroite et complètement déserte.

— Comme tu vas le voir très bientôt, il existe un autre moi à part celui que l'on voit aux répétitions.

Je réalise soudain quelle bêtise j'ai faite. Aller à une soirée avec quelqu'un que je ne connais pas bien, c'est une chose, mais me retrouver en pleine campagne avec lui, c'en est une autre. Je glisse ma main sur la poignée de la portière. Si j'y suis forcée, je rejoindrai la grand-route à pied. Ce sera toujours mieux que d'être agressée par un désaxé dans une sapinière. Du ton le plus calme possible, je l'interroge :

— Qu'est-ce que tu veux dire au juste par un autre moi à part celui que l'on voit aux répétitions ?

— Vincent, le personnage que je joue, est un bon gars, timide. Pour bien interpréter ce rôle, il faut que je sois le plus possible comme lui dans la vie.

L'auto roule si doucement maintenant que je pourrais en descendre sans une seule égratignure. Mes doigts, glacés de peur, agrippent la poignée de la portière. Marc se tourne vers moi et un rayon de lune jette une lueur étrange sur son visage.

— Mais ce n'est qu'un personnage, Laura, ce n'est pas moi.

Il ne m'en faut pas plus. J'ouvre brusquement la portière, je bondis hors de l'auto et je me mets à courir à toutes jambes. J'entends Marc m'appeler :

— Laura ! Laura ! Qu'est-ce qui t'arrive ?

Je continue à courir pendant quelques minutes. J'entends les pas de Marc résonner derrière moi. Mon Dieu ! Il va me rattraper et… Je suis tellement horrifiée par la pensée de ce qui pourrait arriver que j'en cours encore plus vite. En vain, cependant, car Marc a de plus grandes jambes que moi et il a tôt fait de me rejoindre. Je sens sa main m'empoigner l'épaule. Une chose est sûre, je me battrai jusqu'au bout. Je lui donne des coups de pied, des coups de poing, je me débats tellement qu'il doit me prendre à bras le corps pour me maîtriser.

— Ça alors, qu'est-ce qui t'a pris?

Marc est tout essouflé et j'entends le battement sourd de nos coeurs dans nos cages thoraciques. Cette course effrénée m'a soulagée de tout, même de la peur. Je réponds d'un ton calme :

— Tu m'as fait très peur. Tu disais que tu étais une autre personne. J'ai paniqué.

Marc me regarde d'un air surpris, puis il me relâche.

— Je suis vraiment désolé, Laura, je ne voulais pas te faire peur. Je n'ai jamais pensé que...

— Quand on est une fille, on voit les choses différemment. Et d'ailleurs, pourquoi prenais-tu un air aussi mystérieux?

Marc me regarde d'un air penaud :

— Je voulais me rendre intéressant. Après une soirée aussi mortelle, j'ai eu peur que tu me prennes pour un raseur, alors je voulais faire quelque chose d'un peu palpitant.

— Pour être palpitant, ça l'était. Tu peux le demander à mon coeur.

— Excuse-moi, répète Marc.

— Ça va, mais plus de surprises de ce genre, d'accord?

— Je t'en donne ma parole.

Nous retournons à l'auto qui est restée portières ouvertes et phares allumés.

— J'imagine que tu préférerais que je te raccompagne maintenant.

— Non, non. Cette course m'a mise en pleine forme. Au fait, où nous emmenais-tu?

— Nous étions presque arrivés à destination. C'est un endroit où je passe beaucoup de temps. Tu veux le connaître ?

Je fais oui de la tête. Marc démarre. Au bout de quelques mètres, il tourne à droite, et se dresse soudain devant nous un dôme blanc lumineux. Je questionne Marc :

— Qu'est-ce que c'est que ça ?

— C'est l'observatoire du mont Mégantic.

Je savais qu'il y avait un observatoire (qui ne le saurait pas ?) mais je n'y suis jamais allée.

— Pouvons-nous y entrer ?

— Normalement, ce n'est ouvert au public que durant l'été, mais je connais bien ceux qui travaillent ici, en particulier le professeur Janin, m'explique Marc tout en poussant la porte.

À l'intérieur de l'observatoire, tout est brillant de propreté. Nous traversons plusieurs salles et grimpons un escalier.

— Le samedi soir, il est seul ici. Je vais te le présenter.

Je m'imagine le professeur Janin petit, tout ridé, cheveux blancs et lunettes à monture métallique ronde, vêtu d'une blouse blanche. En réalité, c'est un bel homme plus jeune que mon père, en jean et chemise écossaise.

— Salut, Marc, dit-il d'un ton amical en nous voyant.

— Salut, j'ai amené une amie.

— C'est ce que je vois, dit le professeur tout en caressant sa courte barbe noire. Aimeriez-vous monter ?

Marc accepte d'un hochement de tête et j'en conclus que « monter » signifie aller dans la salle où se trouve le télescope géant.

— Y a-t-il quelque chose d'intéressant à voir ce soir? demande Marc.

Le rire du professeur Janin résonne dans l'escalier blanc en colimaçon que nous montons.

— La même chose que d'habitude, répond-il. Des constellations, des planètes, des galaxies, des milliards d'autres mondes, rien de bien spécial.

Rien que d'y penser, j'en suis tout éberluée. J'ai l'impression qu'en montant cet escalier, nous allons nous retrouver au milieu des étoiles. Nous arrivons dans la salle où se trouve le télescope principal, un énorme engin qui n'a rien à voir avec les télescopes minuscules que j'ai vus à mes cours de sciences. Marc et le professeur me montrent comment regarder dans cet appareil.

Dès que je place mon oeil, je dois me retenir à quelque chose pour ne pas tomber. On dirait que je n'ai plus les pieds sur terre. En regardant l'explosion d'étoiles qui s'offre à mes yeux, j'ai la sensation de planer au coeur même de l'univers.

Me tournant vers Marc, je m'exclame :

— Ce que c'est beau! Est-ce que je peux regarder encore?

— Tant que tu voudras, me répond le professeur Janin.

Je retourne donc à ma contemplation et me demande si, à des milliards de kilomètres de moi, il n'y aurait pas quelqu'un qui me regarderait lui aussi. En bruit de fond, j'entends les voix de Marc et du professeur qui parlent de logarithmes, d'années-lumière et d'autres sujets que je ne comprends pas bien. Au bout d'un moment, Marc pose sa main sur mon épaule et me demande :

— Tu vois quelque chose?

— Oui, beaucoup de choses, mais je ne sais pas ce que c'est.

— Quoi par exemple?

— Des sortes de nuages.

— Ce sont des nébuleuses, m'explique le professeur Janin.

— Ce que c'est beau!

Marc sourit au professeur:

— Je crois que vous avez une nouvelle adepte.

— Tant mieux. On se sent un peu seul ici.

Le pense-t-il vraiment? Comment peut-on se sentir seul avec une myriade de corps célestes pour nous tenir compagnie?

Sur le chemin du retour, je demande à Marc depuis quand il s'intéresse à l'astronomie.

— Depuis toujours, me répond-il, mais ça ne fait que deux mois que je vais à l'observatoire, depuis que j'ai mon permis de conduire. Avant, je contemplais les étoiles allongé dans un champ.

— Pourras-tu m'apprendre à observer le ciel?

— Si ça t'intéresse, oui.

— Ça m'intéresse beaucoup.

Pendant le reste du chemin, nous roulons en silence, un silence agréable. Une fois arrivés devant chez moi, Marc me demande:

— As-tu passé une belle soirée?

— Oui, elle avait un côté risqué, palpitant.

— Et pour le côté romantique? me demande Marc, une lueur particulière dans ses yeux noirs.

— Il n'est pas trop tard pour ça, dis-je vivement.

Marc m'attire vers lui et me donne un léger baiser en disant :

— Voilà pour le côté romantique.

Je lui souris :

— Cette fois-ci, la soirée est parfaite.

Paulo, qui dormait dans le garage, vient faire son enquête. Il va et vient le long de l'auto, du côté où je suis assise, et je sais que, d'une minute à l'autre, il va se mettre à aboyer comme un fou. Je dis donc à Marc :

— Il faut que je rentre.

Marc me touche la main. Pour moi, ce geste en dit plus long qu'un baiser : il n'a pas envie que je parte.

— Bonne nuit, Laura.

Il me suit du regard jusqu'à ce que j'aie pénétré chez moi.

Quand je le revois à la répétition, Marc me propose :

— La nuit est claire et étoilée. Aimerais-tu que je te donne ta première leçon d'astronomie après la répétition ?

— Oui, avec plaisir.

Marc me prend la main et me serre doucement les doigts. Avec tout ce monde autour de nous, il ne peut guère faire plus. Par le regard qu'il m'adresse, cependant, je comprends qu'il aimerait faire plus que me tenir simplement la main.

— Attention, tu ne joues plus ton personnage.

Marc éclate de rire :

— De temps en temps, il arrive que le vrai moi reprenne le dessus, plaisante-t-il, surtout quand tu es à côté de moi.

Nous continuons dans cette veine pendant toute la répétition, et ce qui se passe entre nous améliore même notre performance. Si Nanci le remarque, elle n'en laisse rien voir. Pour une raison ou pour une autre, elle est encore plus odieuse que d'habitude. Elle n'arrête pas d'enguirlander un des gars qui s'occupent de l'éclairage — *son* éclairage neuf, s'empresse-t-elle de nous rappeler :

— Je me suis déplacée jusqu'à Sherbrooke pour acheter ces lumières. Alors, vous pourriez au moins faire l'effort de les utiliser comme il faut.

Et, soudain, est-ce ou non un accident, de là où Philippe Barreau s'occupe de l'éclairage, une clé à molette tombe sur la scène dans un grand fracas.

— Je me demande si c'était un accident, me dit Marc un moment plus tard alors que j'essaie de localiser l'étoile polaire.

— Bien sûr que c'en était un. S'il l'avait fait exprès, il aurait visé Nanci, tant qu'à y être.

— Tu as raison, rigole Marc. Alors, la vois-tu?

Allongés sur le dos dans mon jardin, nous sommes emmitouflés dans nos vestes car le fond de l'air est glacé.

— Est-ce que c'est celle-ci? dis-je en pointant mon doigt vers le ciel.

Pour montrer à Marc de quelle étoile je veux parler, je dois me rapprocher de lui, ce qui fait bien mon affaire. L'observation des étoiles comporte des avantages non négligeables.

Marc et moi continuons nos leçons d'astronomie dans mon jardin jusqu'à la première chute de neige. Il y a des soirs où cette leçon d'astronomie est la seule chose qui me permet de supporter la répétition. Mon rôle me plaît beaucoup et les jeunes sont très sympathiques. Ce qui ne va pas, c'est Nanci, qui est sur le pied de guerre. Je ne sais pas ce qu'elle a, mais elle est de pire en pire. Est-ce parce que José n'assiste plus aux répétitions depuis qu'il a vu ce qui se passe entre Marc et moi? Ça ne m'étonnerait pas de Nanci qu'elle m'en veuille de sortir avec Marc. Ce qu'elle oublie, cependant, c'est que si je suis sortie avec lui, c'est parce qu'elle m'a chipé José. Qu'attendait-elle de moi? Que j'entre au couvent?

Je ne suis pas la seule à remarquer son humeur de plus en plus détestable. Il n'est pas une fois où elle ouvre la bouche sans que quelqu'un ne fasse des grimaces dans son dos. Je ne les en blâme pas ; elle l'a cherché, mais l'atmosphère est irrespirable. Et le plus curieux, c'est que Nanci n'a pas l'air de se rendre compte que tout le monde lui en veut à mort. Certains soirs, il règne presque un climat de lynchage, et elle continue son cinéma comme si de rien n'était, critique tout le monde et s'attend à ce qu'on la remercie pour l'aide qu'elle nous apporte.

Marc doit me montrer une nouvelle galaxie dans son télescope portatif. Aussitôt la répétition terminée, je lui dis donc en le prenant par la taille :

— Sortons d'ici au plus vite. J'ai besoin de contempler les étoiles.

Marc me regarde, puis jette un coup d'oeil en direction de Nanci pour s'assurer qu'elle ne peut pas l'entendre.

— Un groupe de jeunes doit se réunir au casse-croûte Pierrot pour boire un verre, dit-il.

Je me blottis contre lui. Je suis d'humeur sentimentale.

— Je préférerais me perdre dans les étoiles avec toi.

— Moi aussi, Laura, mais je crois que cette réunion est importante.

D'après son air sérieux, il n'y a pas de doute que c'est important. Je renonce à ma contemplation d'étoiles.

Presque tous les membres de la troupe sont dans le café où la serveuse doit mettre trois tables bout à bout pour loger tout le monde. Il ne manque qu'une personne : Nanci. Je comprends tout de suite qu'elle est l'objet de la réunion.

— Là, ça suffit ! se plaint Marie-France LeFloch d'un air furieux. J'en ai marre. C'est elle ou moi.

Un murmure d'approbation se fait entendre. Presque tous ayant été victimes de la critique acerbe de Nanci, il n'est pas étonnant que personne ne prenne désormais son parti. Même moi, qui devrais prendre sa défense en souvenir de notre amitié passée, je ne trouve absolument rien à dire pour justifier son attitude. Dans son rôle d'adjointe au metteur en scène, Nanci a été un cauchemar.

D'un ton très calme, Marc prend la parole :

— Je ne crois pas que monsieur Carrier soit conscient des problèmes que nous avons. Il nous a laissés souvent seuls avec Nanci ces derniers temps.

— Exact, une souris face à un python, marmonne quelqu'un.

Marc fait semblant de ne pas entendre cette remarque. Il comprend, je crois, que si nous commençons à médire sur Nanci, la situation pourrait prendre des proportions dramatiques.

— Donc, avant de poser des gestes graves, nous devrions parler avec monsieur Carrier et lui demander qu'il parle, lui, à Nanci.

Les jeunes regardent Marc d'un air renfrogné. Ils ne sont pas prêts à abandonner leur première idée, à savoir forcer Nanci à démissionner. Marc promène son regard sur le groupe.

— Après tout, ajoute-t-il, nous avons un spectacle à mettre en scène. C'est tout ce qui compte, vous ne trouvez pas?

Cet argument convainc tout le monde. Je prends la main de Marc sous la table et lui murmure :

— Si tu décides de faire carrière dans le corps diplomatique, je te donnerai une recommandation. Je ne pensais pas que quelqu'un réussirait à les calmer.

— Je ne sais pas à quel point ils se sont calmés. Ils sont encore pas mal énervés, mais au moins, ils vont aviser monsieur Carrier de ce qui se passe.

En sortant du casse-croûte Pierrot, d'après ce que j'entends, certains jeunes veulent encore demander à monsieur Carrier de retirer Nanci du spectacle. Pauvre Nanci, j'ai presque pitié d'elle. Même si elle est la seule fautive, cette nouvelle va lui faire l'effet d'une bombe. C'est alors que je me souviens de la Nanci — Nancy — que je connaissais. S'il lui arrivait une affaire pareille, elle en pleurerait pendant des jours. Ce qui m'amène à penser que je devrais la prévenir de ce qui se passe. Cela servirait-il à quelque chose ou est-ce que ce serait comme de parler à un mur? Ne ferais-je pas mieux de me taire? Après tout, il se peut qu'il lui faille un choc pareil pour la ramener à la raison. D'un autre côté, peut-être que, sous la nouvelle Nanci, il reste encore suffisamment de l'ancienne Nancy avec qui communiquer. Et si j'arrivais à parler à mon ancienne amie, cela pourrait tout changer.

Si tu penses que Laura décide de se taire, va à la page 106.

Si tu penses que Laura décide de parler à Nanci, saute à la page 122.

Je le fais, oui, oui. En allant déposer les questionnaires, j'ouvre les enveloppes et en examine le contenu. Et je suis bien contente de l'avoir fait, croyez-moi. Je ne suis pas d'accord avec le proverbe qui affirme que le crime ne paie pas. Il ne paie pas au sens propre du terme, bien sûr. Au contraire même, il me coûte de l'argent puisque je dois racheter deux enveloppes pour remplacer celles que j'ai ouvertes. C'est un inconvénient mineur, cependant. L'essentiel, c'est qu'en lisant les questionnaires, j'ai découvert ce que mijote Nanci.

L'effrontée a menti à presque toutes les questions. Un exemple : À la question : « Sports préférés », elle a répondu « Plongée sous-marine » parce qu'elle sait qu'E.T. est un mordu de ce sport. Or je sais fort bien qu'elle n'a jamais fait de plongée sous-marine pour la bonne raison qu'elle ne sait pas nager. Là où elle n'a pas menti, en revanche, c'est en disant qu'elle sait jouer au tennis. Elle joue bien, je le lui accorde.

C'est plus que je ne peux en supporter. Il est de mon devoir d'amie — ou d'ancienne amie — d'empêcher Nanci de faire une fausse déclaration. Par bonheur, elle a rempli son questionnaire au crayon à mine. De plus, nous avons passé tout un été à apprendre chacune l'écriture de l'autre. Rien de plus aisé, donc, pour moi, que d'apporter les changements nécessaires.

Pour ce faire, je vais à la bibliothèque municipale. C'est bien pratique car, au moment de répondre pour Nanci à la question «Passe-temps», je n'ai qu'à consulter le fichier «Sujets». Je tire une carte au hasard : *Cartographie*. C'est parfait, je ne sais même pas ce que c'est, mais ça a l'air d'un ennui mortel. Si un représentant du sexe masculin s'y intéresse, ce ne peut être qu'un crétin. Et ce serait bien fait pour Nanci si elle se retrouvait avec un crétin pendant toute la soirée.

Avant de remplir mon questionnaire, je consulte celui d'E.T. Sapristi! Si je n'étais intervenue au nom de la vérité et de la justice, Nanci se serait retrouvée avec lui, c'est certain. Une fois que j'ai regardé le questionnaire d'E.T., il est difficile pour moi de ne pas être influencée pour remplir le mien. C'est pour cette raison que, ayant vu qu'il avait indiqué le tennis comme un de ses sports préférés, je n'hésite pas à l'inscrire à mon tour alors que je n'ai jamais tenu une raquette de ma vie. Par chance, on est déjà en automne, il pleut et il fait trop froid pour jouer au tennis. Ainsi, même si E.T. m'en parle, j'aurai jusqu'au printemps pour me trouver une excuse.

Une fois les questionnaires au point, je cachète les enveloppes toutes neuves et vais les déposer. Je devrais me sentir coupable. Mais non, je me sens innocente comme l'enfant qui vient de naître. Sur le chemin du retour, je réussis même à me persuader que je n'ai aucune honte, et je suis presque certaine d'être jumelée à E.T. à la soirée. Pour la première fois de ma vie, je comprends l'expression «La fin justifie les moyens».

En entrant à la soirée dansante, on nous donne une étiquette numérotée, verte pour les femmes, orange pour les hommes. J'ai le numéro cinquante-sept. Je dois ensuite trouver l'homme à l'étiquette orange portant le numéro cinquante-sept. On me donne également une enveloppe cachetée que je ne dois pas ouvrir tant qu'on ne me le dit pas.

Je pars aussitôt à la recherche d'E.T. J'ai bien hâte de voir si ma ruse a marché. J'aperçois E.T., plus beau que jamais dans un chandail vert foncé à fines rayures bordeaux. Je remarque l'étiquette épinglée à son épaule. Je lui demande de l'air le plus innocent possible, alors que mon coeur bat à tout rompre :

— Quel numéro as-tu?

— Cinquante-sept, me répond-il.

Je n'arrive pas à le croire. Ça a marché! Des fois, je me trouve pas mal intelligente.

— Moi aussi!

E.T. a l'air surpris :

— C'est vrai? C'est curieux. Je me demande si d'autres vont se retrouver jumelés à des gens qu'ils connaissent déjà.

— Ça me surprendrait. J'imagine que nous sommes particulièrement assortis.

— Ouais, c'est sûrement ça. Veux-tu que nous fassions le tour de la salle pour voir qui se retrouve avec qui?

J'accepte sans grand enthousiasme. Pour être franche, je suis déçue. J'aurais aimé qu'E.T. montre plus de joie à se retrouver avec moi. Après tout le mal que je me suis donné pour accorder mes réponses aux siennes, c'est le moins qu'il puisse faire. Évidemment, il ne sait pas par quoi j'ai dû passer pour que nous soyons jumelés… et j'espère bien qu'il ne le saura jamais.

Nous faisons le tour du gymnase et nous arrêtons bavarder avec quelques couples. Je ne suis pas surprise de voir que papa et maman se retrouvent ensemble. Si eux ne sont pas assortis, je ne sais pas qui pourrait l'être.

J'ai bien hâte de voir avec qui a été jumelée Nanci. Après les réponses que j'ai données à sa place, je doute fort qu'ils trouvent quelqu'un d'assez crétin et d'assez ennuyeux pour elle.

Quand, enfin, je la vois, je tombe presque à la renverse. Elle est avec Daniel Clément, un des élèves de secondaire V les plus formidables. Comment cela se peut-il? Je regarde Nanci avec insistance. Sous son plâtras de maquillage — notamment une ombre à paupières rose sur un oeil et une bleue sur l'autre pour un effet « asymétrique » — elle arbore un sourire narquois.

— Tiens, voilà ton amie, me dit E.T.

— Mmmm, dis-je d'un ton évasif car je n'ai pas réellement envie de la considérer comme mon amie ces temps-ci.

— Tu veux qu'on aille lui dire bonjour?

— Pourquoi pas.

Bien que j'aie répondu d'un ton blasé, je brûle de curiosité de voir comment elle et Daniel s'entendent.

— Salut, les cinquante-sept, dit Nanci d'un ton enjoué.

Tout en lui rendant sa salutation, j'essaie de voir si Daniel est choqué de se retrouver avec Nanci. Il est impossible de le savoir car Daniel est un gars tellement gentil que, même s'il s'était retrouvé avec une laideron, il aurait fait semblant de passer une belle soirée simplement pour ne pas la blesser.

— Avez-vous trouvé ce que vous avez en commun? leur demande E.T.

— Mais certainement, nous sommes tous les deux populaires, répond Nanci.

Je lui jette un bref coup d'oeil pour voir si elle plaisante. Mais non, elle est très sérieuse. Daniel essaie de prendre la chose à la blague :

— Je n'étais pas très populaire au match de basket-ball hier soir. Y avez-vous assisté ?

Nous faisons tous les deux non de la tête. Nous n'avons encore assisté à aucun match car nous n'aimons ni l'un ni l'autre les sports de ballon. J'en profite pour proposer à E.T. :

— Tiens, voilà une chose qu'on pourrait inscrire sur notre liste.

Un concours a été lancé : durant la soirée, on doit trouver dix points que l'on a en commun avec notre partenaire. Puis, à la fin de la soirée, on ouvrira les enveloppes et on comparera les résultats. Du fait que j'aie vu le questionnaire d'E.T., je suis avantagée et je pourrais dresser une liste tout de suite. Cela paraîtrait suspect, cependant.

Après avoir quitté Nanci et Daniel — les 164 — E.T. et moi continuons de faire le tour de la salle. C'est vraiment amusant de voir avec qui chacun a été jumelé. Ma professeure de français, par exemple, s'est retrouvée avec un fermier des alentours, et son mari avec une jardinière d'enfants. Heureusement que tout le monde prend la chose avec humour ; sinon, ce jumelage pourrait conduire à de nombreux divorces.

La musique commence. Je danse avec E.T. La soirée dont je rêvais, dans les bras d'E.T., celle que j'ai planifiée avec force ruse, devient réalité. Et pourtant, quelque chose cloche. Ce n'est pas ma conscience car je ne me sens pas du tout coupable. Je n'ai aucun remords et je suis prête à oublier mes agissements malhonnêtes et à profiter au maximum du fruit de mes manigances. C'est E.T. le problème. Il ne réagit pas du tout comme je l'aurais souhaité. Il n'est pas tombé follement amoureux de moi, malgré les nombreux coups de pouce que je lui ai donnés à cette fin.

Quand l'orchestre prend une pause, E.T. et moi allons boire un rafraîchissement. Nous nous retrouvons près de deux adolescents de notre âge que nous ne connaissons pas. E.T., le si sympathique E.T., engage la conversation avec le gars :

— Tu sais quel est le problème avec cette affaire de jumelage ?

Je tends l'oreille. Tiens, je ne savais pas qu'il y avait un problème.

— C'est quoi ? demande l'inconnu.

— C'est qu'on se retrouve avec quelqu'un qui nous ressemble trop ; ça enlève tout le charme.

Ça alors, quelle curieuse façon de voir les choses. E.T. poursuit :

— Prends Laura et moi, par exemple. Nous nous connaissons déjà. À quoi ça sert ? Je parie que vous aussi vous vous connaissez. Si on changeait de partenaire, tiens, pendant un moment. Ça nous permettrait de faire la connaissance de quelqu'un d'autre.

E.T., qu'est-ce que tu racontes ? C'est affreux. J'ouvre ma bouche pour protester. Trop tard. L'autre couple a déjà accepté. L'orchestre se remet à jouer.

— À plus tard, me lance E.T. avant de disparaître avec l'inconnue.

Je me laisse entraîner sur la piste de danse.

— C'est génial comme idée, me dit mon nouveau partenaire. Je m'appelle Bruno Desrosiers.

— Et moi Laura Beaulieu.

J'espère que Bruno n'a pas remarqué le peu d'enthousiasme que j'ai montré à me retrouver avec lui. Heureusement pour moi, il est bavard. J'ai juste à hocher la tête en guise d'approbation et à lancer, de temps à autre, un « Qu'est-ce que tu as fait alors ? » pour être tranquille. J'exagère. En réalité, Bruno est très sympathique, et si j'étais de meilleure humeur, je reconnaîtrais même qu'il est très séduisant. Mais, dans mon état d'esprit actuel — le coeur brisé par E.T., malheureuse de voir comment évolue la situation — je ne fais guère attention à lui.

Et cela ne m'aide pas de voir, tout en dansant, E.T. et la petite amie de Bruno rire et s'amuser. Et en plus Nanci qui a l'air, elle aussi, de passer une excellente soirée avec Daniel Clément. Ils devraient tous me remercier de s'amuser comme des fous. Après tout, n'est-ce pas moi qui ai organisé tout ça ? C'est bien ce qui m'énerve justement, c'est que je ne peux m'en prendre qu'à moi-même si les choses ont mal tourné pour moi. C'est mon esprit tortueux qui est à l'origine de tout ce gâchis.

La soirée se traîne lamentablement. C'est l'une des pires de ma vie. Finalement, l'orchestre s'arrête de jouer et un animateur prend le micro. Il nous demande d'ouvrir nos enveloppes pour vérifier combien de points communs on a devinés.

Je récupère enfin E.T., même si la soirée est pratiquement finie.

E.T. et moi, Bruno et sa petite amie, ainsi que Nanci et Daniel, nous retrouvons tous ensemble pour ouvrir nos enveloppes. Des gouttes de sueur froide perlent derrière mes genoux. Dès que Nanci va ouvrir son enveloppe, elle remarquera qu'on lui a changé son questionnaire. Et elle saura tout de suite que c'est moi. Elle plane peut-être dans la « mégasphère » mais elle n'est pas complètement idiote. Il ne lui faudra pas longtemps pour comprendre ce qui s'est passé. Je l'observe pendant qu'elle et Daniel comparent leurs questionnaires. Nanci ne sourcille même pas.

— Hé, s'écrie Daniel d'un ton enthousiaste, je ne savais pas que tu t'intéressais à la cartographie.

Nanci ne se laisse pas démonter :

— Mais oui, dit-elle, j'adore la euh… (je la vois jeter un coup d'oeil sur son questionnaire)… la cartographie, c'est bien ça.

Comment pouvais-je savoir que Daniel était un expert en cartographie ? Sapristi, je ne changerai donc jamais !

— Ouvre ton questionnaire, me dit E.T., qui a déjà ouvert le sien.

J'ouvre mon enveloppe et lui tends mon questionnaire. Je vois soudain ses yeux briller.

— Au tennis ? s'exclame-t-il. Je ne savais pas que tu jouais au tennis, Laura. Pourquoi ne m'en as-tu jamais parlé ? C'est super ; il faudra qu'on y joue.

— Peut-être au printemps prochain. Ce sera agréable une fois les beaux jours revenus.

Nanci m'a écoutée. Elle me toise de ses yeux englués de mascara.

— Éclatant ! Moi non plus, je ne savais pas que tu jouais au tennis. Tu·as dû prendre des leçons pendant l'été, Laurita.

À la manière dont elle me regarde, je comprends qu'elle sait que j'ai falsifié les questionnaires. Elle sait aussi que je n'ai jamais tenu une raquette de ma vie.

— Oui, j'ai été très occupée cet été, dis-je pour me défendre.

Nanci n'abandonne pas aussi facilement.

— Sais-tu jouer au tennis ? demande-t-elle à Daniel.

— Oui, bien sûr, répond-il.

— Chouettos ! Dans ce cas, on pourrait faire une partie de double, suggère-t-elle, tout sourire.

J'aurais le goût de la tuer !

— D'accord, les courts n'ouvriront probablement pas avant Pâques, dis-je.

— Pas dehors, crétine, m'insulte Nanci. Je connais un centre sportif à Sherbrooke qui a des courts intérieurs.

— Il ne faut pas être membre pour avoir le droit d'y jouer ?

Je cherche tous les prétextes possibles car je commence à être inquiète. Cette histoire pourrait bien se retourner contre moi.

Et vlan ! Elle se retourne effectivement contre moi. J'entends Nanci me répondre :

— Non, les courts sont ouverts à tout le monde. Et une heure de terrain, ça ne coûte pas cher du tout.

— Formidable ! s'écrie E.T.

Formidable, tu parles ! Mon esprit torturé cherche une dernière échappatoire :

— On n'a pas de voiture.

— Si, moi j'en ai une, dit Daniel.

Nanci a un sourire tellement grand que son maquillage risque de se craqueler comme de la vieille peinture.

— La semaine prochaine, ça vous convient? suggère-t-elle tout en regardant E.T. droit dans les yeux. Toi et Lolo, contre Daniel et moi?

— C'est parfait, répond-il. Qu'en penses-tu, Laura?

Je me contente de le regarder, muette de stupéfaction. Pour commencer, pourquoi a-t-il fallu que je falsifie ces questionnaires? Et même si je l'ai fait, pourquoi ai-je menti en prétendant que je jouais au tennis? Repenser à tout cela maintenant ne sert à rien. Qu'est-ce que je vais faire? Si j'avoue à E.T. que je ne sais pas jouer au tennis, il découvrira que je suis une menteuse. Pire encore, lui et Nanci iront probablement jouer un match de simple. Je risque de le perdre à tout jamais. D'un autre côté, si j'accepte de jouer, je vais me ridiculiser. Je me demande si John McEnroe donne des leçons particulières...

Les yeux rivés sur moi, E.T., Nanci et Daniel attendent ma réponse. J'ai la sensation d'être prise au piège. Qu'est-ce que je vais faire? Ce serait le moment rêvé pour une catastrophe naturelle : tremblement de terre, inondation ou raz-de-marée, je n'ai pas de préférence. Même à ça, avec ma veine habituelle, Nanci dirait probablement :

— Pas de problock, Lolo, c'est rien cet ouragan. Viens, on va jouer au tennis!

Si tu penses que Laura avoue ne pas savoir jouer au tennis, va à la page 136.

Si tu penses que Laura décide d'y jouer, saute à la page 148.

Sans les ouvrir, j'ai déposé les questionnaires de Nanci et d'E.T., et j'ai rempli le mien en toute honnêteté. Je ne vais pas être longue à regretter ma droiture. Aussitôt arrivée à la soirée dansante, on m'attribue mon partenaire « idéal » qui se trouve être — tenez-vous bien — Paul Taillefer, le crétin du club de littérature française. Catastrophe ! Savoir que nous avons autant de points communs m'amène à me poser des questions sur moi-même.

— Viens danser, Laura, m'ordonne Paul en me prenant par la main et en m'entraînant sur la piste de danse.

Oh zut ! J'aurais dû porter des souliers à semelle de plomb. Tout en dansant, je cherche E.T. J'espère qu'il est coincé avec l'équivalent féminin de Paul. J'arriverais peut-être à faire un échange à un moment donné.

Pensez-vous ! Quand je vois enfin E.T., il est avec Nanci, et à en juger par la manière dont elle s'agrippe à lui, elle n'a aucune intention de l'abandonner, pas même pour une seconde. Les voir ensemble, ça, je ne le prends pas. Comment s'est-elle arrangée pour être jumelée avec lui ? Avec les questionnaires, évidemment. Si j'ai été tentée de falsifier mes réponses pour augmenter mes chances de me retrouver avec E.T., il y a à parier que Nanci aura eu la même idée. Au lieu d'être honnête comme j'ai eu la stupidité de l'être, elle a décidé de mentir sur toute la ligne. Cette fille doit avoir une mémoire d'éléphant. Au cours des dernières semaines, je lui ai donné assez de renseignements sur E.T. pour qu'elle puisse remplir son questionnaire en conséquence. Rien qu'à l'idée que j'aie pu jouer un rôle aussi important dans cette affaire, je suis malade.

— Est-ce que ça va, Laura? On dirait que tu as envie de vomir.

C'est du Paul tout craché, d'une délicatesse à toute épreuve et on ne peut plus précis. Je suis obligée d'admettre qu'il n'a pas tort. J'ai effectivement envie de vomir. Nanci et E.T. dansent non loin de nous. E.T. lui sourit, sa fossette creusée sur sa joue gauche. Les éclats de rire de Nanci parviennent jusqu'à moi. Quel calvaire!

Cette soirée va être à coup sûr la pire de ma vie. Elle comporte cependant quelques notes heureuses. Par exemple, lorsque monsieur Gilbert me fait monter sur la scène et me remercie personnellement pour mon «idée fantastique». Il ne mentionne même pas Nanci. Ma deuxième satisfaction est de constater que papa et maman ont été jumelés. À part eux, seuls deux autres couples se sont retrouvés ensemble. Je me demande si cette soirée dansante risque de faire grimper le taux de divorce. Pourquoi me tracasser de ça quand j'ai déjà tant de soucis?

J'ai à peine l'occasion de parler à E.T. durant toute la soirée Nanci se l'est carrément approprié, et E.T. n'a pas l'air d'y voir d'inconvénient. Il n'essaie pas de sortir des griffes de Nanci et, lorsque Paul et moi les rencontrons par hasard sur la piste de danse, E.T. ne propose pas de changer de partenaire, pas même l'espace d'une danse. Je suggère de le faire, mais c'est justement à ce moment-là que Nanci prétend avoir un problème avec un de ses verres de contact. Des verres de contact? Elle n'a même jamais porté de lunettes. Elle réussit à convaincre E.T. de quitter la piste de danse et je ne les revois plus de toute la soirée.

J'aimerais oublier à tout jamais cette soirée, mais Nanci ne m'en donne pas la chance. Elle me téléphone le lendemain matin à 9 heures tapantes pour me dire quelle soirée «chouet-tos» elle a passée.

— Je t'assure, Lolo, cet E.T., il est craquant!

J'écarte le récepteur de mon oreille car je ne veux pas l'entendre raconter dans le moindre détail sa soirée «d'enfer». Cette fois-ci, je n'ai pas besoin d'interprète; sa volubilité et le ton passionné qu'elle emploie sont assez éloquents. Elle ne se rend même pas compte que je ne lui réponds pas; tout ce qu'elle veut, c'est parler du «craquant» E.T.

Eh bien, il est temps pour moi de voir la vérité en face : j'ai perdu E.T. S'il avait eu la moindre propension à tomber amoureux de moi, il aurait réussi à le faire. Et si je lui plaisais, ne serait-ce qu'un petit peu, il n'aurait pas passé toute la soirée avec Nanci. Ce qui devrait me mettre les points sur les i, c'est qu'il avait l'air très content d'être avec elle. Toute la matinée, j'arpente la maison en essayant de me convaincre qu'E.T. a très mauvais goût en matière de femmes. En vain. E.T. est formidable. C'est le gars le plus séduisant qui ait jamais foulé le sol de Valmont. Consciente de l'avoir perdu au profit de Nanci, je tiens encore à le récupérer. Toute cette histoire me fait terriblement souffrir.

Le lundi venu, mon état a encore empiré. J'appréhende tellement de revoir E.T. que je voudrais que l'année scolaire soit annulée en bloc. J'ai le cœur brisé, le moral à zéro. Pour employer le langage propre à Nanci, je suis «hyperminée», «écoeurée au max».

Cette journée ne va pas être facile à vivre pour moi. Je dois voir E.T. au dîner puis de nouveau après les classes pour notre cours particulier. Il va me falloir déployer tous mes talents d'actrice pour ne pas lui laisser voir mon chagrin.

Je passe toute la matinée à me fabriquer un sourire artificiel. J'ai tellement bien réussi que, lorsque je retrouve E.T. à la cafétéria, je souris comme l'idiot du village. Pour une fois, je suis contente qu'il y ait un tas d'autres filles à notre table. Au lieu de rivaliser avec elle, je les laisse faire la conversation. Je suis même contente qu'Élisabeth Cameron vienne s'asseoir à côté d'E.T., et soulagée qu'elle lui parle de la soirée de samedi, si réussie, à laquelle elle s'est beaucoup amusée. Tant qu'elle et ses copines tiennent E.T. occupé, je n'ai pas besoin de lui parler. Lui parler — surtout de la soirée de samedi — est au-dessus de mes forces.

Et le plus curieux, c'est que, même s'il ne supporte pas Élisabeth — je le sais, il me l'a confié un jour —, il a l'air malgré tout aussi soulagé que moi qu'elle se soit assise avec nous. Il a dû comprendre qu'il me plaisait et, gentil comme il est, il doit se sentir mal de m'avoir repoussée.

Je crois que nous préférerions tous les deux annuler notre cours mais ni l'un ni l'autre n'a le courage de le proposer. Comme à mon habitude, je me rends donc au casier d'E.T. après la classe. Je ne devrais pas être surprise de voir Nanci avec lui et surtout pas en être choquée. Je le suis quand même. Je la regarde — lèvres violettes et yeux tellement barbouillés de noir que l'on croirait qu'elle n'a pas dormi depuis des jours. J'essaie de comprendre ce qu'E.T. lui trouve. Cela n'a aucune importance, à vrai dire. Le simple fait qu'il lui trouve quelque chose, quoi que cela puisse être, est une torture pour moi.

— Bien le bonsoir, les enfants, lance-t-elle en agitant ses doigts en guise de salut.

Ses ongles sont recouverts d'un vernis bleu métallisé. Elle adresse à E.T. un sourire ardent, accompagné d'un battement de cils lourds de mascara.

— Je te bigophonerai plus tard, lui dit-elle.

Pendant tout le trajet pour nous rendre à la classe où nous allons pour notre cours, nous faisons tous les deux une mine d'enterrement. Une fois dans la classe, c'est encore pire. La tension est insoutenable.

J'ouvre mon livre là où nous l'avions laissé vendredi, autant dire il y a un siècle. Je demande à E.T. :

— As-tu des questions à me poser sur ce chapitre ?

— Hmm, non, pas vraiment.

Sa voix est tendue. On dirait qu'il essaie de me dire quelque chose et qu'il ne sait pas comment s'y prendre. Le silence est insupportable. On se croirait sur une scène quand on oublie son texte. Je ne sais pas quoi lui dire.

E.T. rompt enfin le silence :

— Laura, il faut que je t'avoue quelque chose. Je me sens vraiment mal.

— Mal ? Tu es malade ?

— Non, pas du tout. Je veux dire, je suis mal dans ma peau ; je suis embêté.

— Moi aussi, je me sens mal, très mal même.

Levant les yeux vers lui, je le vois flou car des larmes me voilent le regard.

— Je me sens mal, Laura, et je ne sais pas quoi dire.

— C'est correct, E.T. Je comprends que tu n'y es pour

rien. Si tu me préfères Nanci, c'est correct. Je finirai bien par m'en remettre. J'espère que nous pourrons quand même rester amis.

Je n'aurais pas pu trouver phrase plus banale. Je le regarde en m'efforçant de sourire. C'est à ce moment-là que je me rends compte qu'E.T. ne sourit pas du tout. Il a l'air en état de choc. Ses joues sont écarlates.

— Tu t'imagines que ton amie me plaît? Tu crois que je veux sortir avec elle?

— Tu avais l'air de bien t'amuser avec elle samedi soir, dis-je d'un ton renfrogné.

E.T. éclate de rire.

— C'est moi qui devrais être comédien. Je t'ai dupée plus que je ne le voulais, Laura.

Une petite étincelle d'espoir s'allume dans mon coeur.

— Qu'est-ce que tu veux dire par là?

— Écoute, Laura, je ne voudrais pas insulter ton amie. Si tu apprécies Nanci, je suis certain que c'est parce qu'elle est formidable. Mais moi, je la trouve... disons, un peu bizarre.

Je ne peux m'empêcher de pouffer de rire. E.T., lui, est très sérieux. Me voyant rire, cependant, il se détend un peu.

— Je ne comprends pas pourquoi tu as été si gentil avec elle.

— Parce que c'est ton amie, Laura, et parce que toi, tu me plais, tu me plais beaucoup même.

Heureusement que je suis assise. Ces yeux noirs plongés dans les miens, c'est mieux que de jouer dans un film dirigé par un réalisateur de génie. C'est mieux que tout ce que je peux imaginer. Excepté peut-être de l'embrasser, ça, ce serait vraiment le paradis! On croirait qu'E.T. a lu dans mes pensées car il se penche vers moi et m'embrasse. C'est un peu malaisé au début car nous sommes assis à des pupitres. Nous nous levons donc et nous nous enlaçons. Après notre cinquième baiser, je lui demande:

— Pourquoi ne m'as-tu jamais dit que je te plaisais?

— Parce qu'on m'a dit que les Québécoises sont différentes, qu'elles n'aiment pas qu'on soit trop direct. Si on leur plaît, elles nous le montrent.

— C'est bien l'idée la plus folle que j'aie jamais entendue. Qui t'a dit ça?

— Plein de gars.

— Qui par exemple?

— Paul. Tu connais Paul Taillefer du club de littérature française. Je lui ai parlé de toi. Il m'a dit qu'il était certain que je ne t'intéressais pas du tout, que tu ne faisais qu'être polie avec moi et que je perdrais mon temps avec toi.

J'aurais le goût d'étrangler Paul. Je marmotte un « Quel crétin! » qui se perd dans le chandail d'E.T.

— Comment?

— Ah rien.

Baisers numéros six et sept, je les compte.

— Je te plais alors? me demande E.T. d'un ton ravi.

Je me penche en arrière et le regarde droit dans les yeux. Il est à peine plus grand que moi; nos yeux sont donc à peu près à même hauteur. Je lui réponds:

— Disons que l'on parle le même langage.

— Tu veux dire celui-ci? dit-il en m'embrassant le front.

— Mmm, et celui-ci, dis-je en lui embrassant à mon tour la joue, là où se creuse sa fossette.

Après cinq minutes, je n'arrive plus à compter nos baisers. En voyant le concierge venu balayer la classe, nous comprenons qu'il est temps de nous en aller. Nous ramassons nos affaires et sortons de la pièce, bras dessus bras dessous.

— Oh non, fait E.T.

— Tu as oublié quelque chose?

— Non, je pensais à Nanci.

Nanci. Je l'avais complètement oubliée. C'est peut-être le moment de parler de Nanci à E.T. C'est donc ce que je fais, en chemin. Je raconte à E.T. comment était Nanci auparavant — la Nancy que je connaissais — et comment elle a complètement changé depuis son retour de France.

— Si je faisais sa connaissance maintenant, je ne deviendrais pas son amie. Nous n'avons absolument plus aucune affinité.

— Ça finira bien par lui passer. Il est sans doute préférable que tu l'ignores jusqu'à ce qu'elle redevienne elle-même.

J'acquiesce de la tête. J'espère qu'E.T. a raison car, malgré tout ce qui s'est passé et en dépit du fait qu'E.T. soit entré dans ma vie, ma meilleure amie me manque beaucoup. J'espère de tout mon coeur que nous pourrons nous réconcilier.

E.T. et moi sortons maintenant ensemble. C'est officiel. Même ses plus ferventes admiratrices, Élisabeth Cameron et Marlène Jodoin, ont renoncé à lui (elles ne ratent pas pour autant une occasion de me fusiller du regard). Au dîner, nous avons maintenant toute la table pour nous tout seuls.

Le plus drôle dans cette histoire, c'est que la principale intéressée, celle qui aurait dû être le plus choquée, à savoir Nanci, s'en moque complètement. Le bruit parvient à mes oreilles qu'elle aurait dit qu'E.T. et moi faisons la paire. Nous sommes, selon ses termes, «d'horribles provinciaux». C'est sûrement ce qui explique qu'elle soit allée se dénicher un petit ami à Sherbrooke, à vingt kilomètres d'ici, la belle affaire !

Par bonheur, je suis trop occupée et surtout trop heureuse pour me soucier de ce que pense Nanci au sujet d'E.T. et moi. Fréquenter un garçon prend beaucoup plus de temps que je ne le pensais. E.T. et moi sortons ensemble presque tous les vendredis et les samedis soir. Nous allons danser ou au cinéma et il nous arrive également de rester en tête à tête. J'ai appris beaucoup de choses sur lui, notamment que sa couleur préférée est le turquoise, son auteur favori Ernest Hemingway, et son plat préféré — après la poutine — le soufflé au chocolat.

Forte de mon information, je décide de lui en faire un. Et croyez-moi, un soufflé au chocolat, ce n'est pas du gâteau, si j'ose dire. Je passe un samedi après-midi entier dans la cuisine. Quand E.T. vient me chercher pour sortir, le soufflé est terminé.

— Tiens, c'est pour toi, dis-je toute fière en lui tendant le plat. Est-ce que ça a l'air de ce que ça devrait ?

Malgré tous mes efforts, j'ai des doutes. Le soufflé ressemble à un volcan miniature, brun et croustillant sur les bords. De longues craquelures se rejoignent au centre comme un cratère. E.T. a l'air peu convaincu.

— Tout dépend de quoi c'est censé avoir l'air.

— D'un soufflé au chocolat, ton dessert préféré.

— Je suis certain que ça doit être bon, par exemple.

Je vais chercher deux cuillers et nous goûtons au fruit de mon travail. C'est bon en effet, c'est épais, ça a un petit goût de caramel.

— C'est sûrement meilleur avec de la crème glacée, non?

— Oui, je crois que tu viens d'inventer un nouveau dessert.

Je ne peux cacher ma déception.

— Tu veux dire que ce n'est pas un soufflé?

— Je crains que non. C'est quand même délicieux.

Remarquant que je suis vexée, il me prend dans ses bras et murmure :

— Ne t'en fais pas. Je sais comment faire un bon soufflé. Je t'apprendrai.

Le samedi suivant, il vient aussitôt après dîner. J'ai sorti une douzaine d'oeufs du réfrigérateur et je les ai laissés à la température ambiante comme il me l'avait demandé. Je suis très impressionnée. E.T. ne se sert même pas d'un batteur électrique pour battre les oeufs en neige. Il utilise un fouet mécanique et la force de son poignet. Quand nous sortons le soufflé du four, il est superbe. Au lieu de s'enfoncer au milieu comme l'avait fait le mien, celui-ci reste gonflé. Et il est exquis : léger, mousseux, délicatement chocolaté.

— Ce que c'est bon, on n'a pas besoin de crème glacée avec ça, dis-je en riant.

Un peu plus tard, au cours de la soirée, je demande à E.T. s'il aimerait apprendre à faire *mon* mets préféré.

— Tout dépend de ce que c'est, dit-il prudemment, se souvenant probablement de mon soufflé raté.

Je l'entraîne à la cuisine en riant :

— N'aie pas peur. C'est délicieux et c'est, je crois, la chose la plus facile à préparer.

— Qu'est-ce que c'est?

— Du maïs éclaté.

— Tu veux dire du pop-corn? Je n'en ai jamais fait.

— Rien de plus facile. Tu ne peux pas vivre en Amérique du Nord sans savoir faire du maïs éclaté.

Serrée tout contre lui, je lui montre comment secouer le poêlon.

E.T. me regarde soudain d'un air démoniaque :

— Et si je soulevais le couvercle?

Il le soulève et nous faisons face à une cascade de maïs éclaté. Nous devons ramasser les grains qui se sont échappés du poêlon. Junior et Brunette, tous deux friands de pop-corn, nous aident à ramasser le dégât. Paulo a des goûts plus raffinés ; il attend que nous ayons mis du beurre.

La scène est plutôt comique. Nous nous retrouvons tous les deux à quatre pattes avec nos amis chiens. Je suis sous la table de la cuisine quand entre mon père :

— Est-ce là une nouvelle méthode d'étude? plaisante-t-il.

Je ris tellement qu'E.T. doit m'aider à me relever de dessous la table.

— Je n'ai pas l'impression que ton père m'apprécie beaucoup.

— Quoi? Mais si, au contraire. Il faut comprendre son humour.

— Tu crois?

— Mais oui, je t'assure. Si moi je t'aime, il ne peut que t'apprécier.

Les mots sont sortis de ma bouche sans que je m'en rende compte. Je sens la main d'E.T. sur mon épaule.

— Tu penses sincèrement ce que tu as dit? C'est vrai que tu m'aimes?

Soudain, j'ai peur, et je ne sais plus où j'en suis. Je n'ai jamais été en amour, alors je ne sais pas ce que l'on ressent.

— Je... je ne sais pas.

J'entends E.T. pousser un soupir de soulagement :

— Moi non plus.

Il me prend dans ses bras et m'embrasse :

— Ce dont je suis sûr, c'est que tu me plais beaucoup.

— Toi aussi, tu me plais. Je suis bien avec toi.

Et pour le lui prouver, je me serre contre lui et l'embrasse tendrement, car il n'est pas plus belle preuve d'amour qu'un baiser.

FIN

Comme c'est curieux! Après m'avoir pratiquement ignorée pendant des semaines, après m'avoir fait me sentir comme une intruse chaque fois que Nanci était là, José revient brusquement vers moi. La cause la plus probable de son retour, c'est ce qui s'est passé au bal de la moisson. En effet, un copain m'a raconté que José et Nanci y étaient venus, elle, vêtue d'une mini-robe noire garnie d'un col et de poignets qui brillaient dans le noir. Et au lieu de s'occuper de José, Nanci a passé toute la soirée à séduire tous les «mâles jeunes et beaux».

Pauvre José! Il me fait presque pitié. Pas suffisamment, cependant, pour que je sorte de nouveau avec lui, ce qu'il voudrait justement que je fasse. J'ai un rendez-vous avec Marc et il n'y a pas de risque que je l'annule. José a l'air réellement surpris quand je lui annonce que j'ai déjà des projets. Il n'a pas dû me croire car il revient le soir même à la répétition et me propose de me reconduire chez moi. Marc est juste à côté de moi et nous échangeons un coup d'oeil.

— Non, merci, José, j'ai déjà quelqu'un pour me raccompagner.

Je n'ai pas mentionné le nom de Marc car je ne veux pas froisser José quelque peu déçu mais bon joueur, ce dernier s'en va, sans même attendre Nanci.

Un moment plus tard, Marc et moi nous nous assoyons sur

le perron pour contempler le ciel. Emmitouflés dans nos ano-
raks, nous sommes blottis l'un contre l'autre pour, prétend
Marc, «nous tenir chaud».

— Ce qui s'est passé avec ton ami José est bien regrettable.

— C'est gentil de ta part d'en parler, mais tu n'as quand
même pas l'air trop affligé par la situation, dis-je pour le
taquiner.

— C'est vrai que la tournure des événements m'a plutôt
avantagé, mais ce qui me déplaît, c'est l'attitude de Nanci,
cette habitude qu'elle a de semer la discorde entre les gens.

C'est la première fois que j'entends Marc critiquer Nanci,
encore que sa remarque soit gentille si on la compare à ce que
d'autres jeunes disent d'elle.

— Oui, c'était vraiment ignoble, autant pour José que pour
moi.

La tête posée sur l'épaule de Marc, je réfléchis un moment.

— Que ferais-tu si Nanci essayait de te séduire?

Le rire de Marc résonne dans la nuit.

— Tu plaisantes ou quoi? Tu sais comment je suis au théâtre, timide et tranquille, comme mon personnage. Je doute
fort que Miss Côte d'Azur essaie de me séduire. Je ne suis pas
son type.

— Mais si elle le faisait, comment réagirais-tu?

Marc me prend le menton et tourne mon visage vers lui.

— Voyons, Laura, tu ne connais pas la réponse?

Bien qu'il ne fasse pas très froid, j'ai la chair de poule.

— Non, pas vraiment.

Marc pose un baiser sur mes lèvres, un long et tendre baiser qui me donne des frissons de plaisir.

— La connais-tu maintenant, la réponse?

— Non.

Je fais exprès de ne pas comprendre car j'ai envie qu'il m'embrasse encore. Je ferme les yeux, penche la tête en arrière et lui dis d'un air béat :

— Il faut que tu arrives à me convaincre.

Il y parvient. J'enroule ensuite mes bras autour de son cou et je réussis à le convaincre à mon tour. De quoi? Je ne sais pas au juste. Peut-être du fait que je suis très contente d'être avec lui ce soir et non avec José.

Après nous être convaincus mutuellement — ce qui nous a pris pas mal de temps et de baisers —, je fais remarquer à Marc :

— Nanci n'est pas si mauvaise que ça, tu sais.

— Elle est légèrement préférable à un tremblement de terre ou à un ouragan, c'est sûr, mais vraiment très légèrement.

— Là, tu exagères. Tu devrais voir la chose de cette manière : si Nanci n'avait pas tout gâché entre José et moi, nous ne serions jamais sortis ensemble, toi et moi.

— Ce n'est que pure coïncidence. À quelque chose malheur est bon, répond Marc très philosophiquement.

— Malgré tout, je lui suis un peu reconnaissante.

— Il y a des fois, Laura, où ton raisonnement défie toute compréhension, constate-t-il avec un soupir.

— Je le sais, c'est ce qui fait mon charme, tu ne trouves

pas ?

— Peut-être. Pourrais-tu m'en convraincre ?

Je fais donc tout mon possible pour le convaincre. Entre deux baisers, j'observe le ciel dans l'attente d'une étoile filante qui pourrait exaucer tous nos voeux.

Les choses vont si bien entre Marc et moi que j'en oublie presque Nanci et les jeunes de la troupe qui veulent sa démission. Puis, un beau soir, j'arrive à la répétition avec une demi-heure de retard. Papa étant parti faire une visite à domicile, j'ai dû nourrir les animaux et fermer le bureau à sa place.

— Si tu savais ce qui se passe, me murmure Marc.

— Quoi ?

Il ne peut rien me dire car Nanci nous scrute maintenant de son oeil d'aigle. Je n'apprends le dramatique de la situation que plus tard quand Marie-France Lefloch me demande de signer une pétition pour que Nanci quitte la production.

— Une pétition ?

— C'est le seul moyen de s'en sortir, Laura, m'affirme Marie-France.

— Je croyais que vous vouliez d'abord parler à monsieur Carrier.

— Ça, c'était avant.

— Avant quoi ?

— Avant qu'elle nous dise que, et je cite, « nous escroquons le public avec notre interprétation d'amateurs », fin de citation.

— Quoi ? Elle a vraiment dit ça ?

— Et bien d'autres choses, mais dans un tel jargon que personne n'a rien compris. Alors? Tu vas signer la pétition? Nous allons la donner à monsieur Carrier ce soir.

— Je ne peux pas le faire, Marie-France. Pas seulement parce que Nanci et moi étions des amies. C'est aussi à cause de ce qu'a dit Marc l'autre soir. Nous avons un spectacle à monter. Nanci est l'adjointe au metteur en scène, pour le meilleur et pour le pire. Nous sommes pris avec elle. Qu'est-ce qu'on ferait si elle s'en allait maintenant?

— On ferait la fête, bougonne Marie-France (au moins, elle n'a pas perdu son sens de l'humour).

— Allez, tu dois bien reconnaître qu'elle a de bonnes idées. C'est seulement sa façon de nous les proposer qui est odieuse.

Voyant qu'elle ne rétorque pas, je poursuis :

— Avant de donner la pétition à monsieur Carrier, vous pourriez lui demander de parler à Nanci, au lieu de la renvoyer ainsi du spectacle. D'ailleurs, je ne pense pas qu'il accepterait de la renvoyer à une date aussi avancée.

Après avoir réfléchi un moment, Marie-France reconnaît à contrecoeur que j'ai peut-être raison.

— Bon, je vais voir ce qu'en pensent les autres.

Aussitôt la répétition terminée, je demande à Marc de me reconduire chez moi. La troupe doit avoir sa grande réunion avec monsieur Carrier ce soir même, mais je ne veux pas y participer; mes sentiments sont trop partagés. Une partie de moi est entièrement d'accord avec les membres de la troupe : il faut absolument que quelqu'un parle à Nanci de son attitude inacceptable. D'un autre côté, j'ai peur que la situation prenne des proportions inquiétantes. Comme me le fait remarquer Marc en chemin :

— Ces jeunes-là me font peur. Ils ont l'état d'esprit de gens en colère, prêts à tout.

— J'espère que monsieur Carrier parviendra à les calmer.

— Quoiqu'il arrive, conclut Marc, notre prochaine répétition va être intéressante, c'est certain.

— Pas aussi intéressante que toi, par exemple, dis-je en le prenant dans mes bras.

— Je n'en suis pas certain. Tu dois m'en convaincre.

Pour ce faire, je lui donne un baiser. Tout en embrassant Marc, je songe à Nanci et j'ai pitié d'elle. Je regrette qu'elle ait monté tous les jeunes contre elle et je regrette qu'elle ne vive pas des instants heureux comme celui-ci.

Marc a raison. La répétition suivante est effectivement intéressante. Selon les rumeurs qui vont bon train, monsieur Carrier aurait parlé à Nanci seul à seule, il lui aurait donné le choix de changer d'attitude ou de démissionner, elle aurait essayé de tout mettre sur le dos de la troupe et, voyant que monsieur Carrier ne la croyait pas, elle aurait craqué et promis d'essayer de s'entendre avec la troupe. Pour finir, elle aurait tellement pleuré qu'elle en aurait presque vomi. Je suis prête à avaler toute l'histoire, sauf le dernier détail. Nanci n'est pas du genre à pleurer — elle ne voudrait pas prendre le risque de se retrouver le visage barbouillé de mascara —, encore moins à pleurer au point de se faire vomir.

Ce qui est effectivement vrai, c'est que monsieur Carrier a parlé à Nanci et qu'elle lui a promis de s'entendre avec les jeunes. Il est donc d'autant plus surprenant que, lors de la répétition suivante, elle soit toujours le même tyran. Au début, les jeunes sont consternés. Ils n'arrivent pas à croire qu'elle ne change pas. D'ici la fin de la soirée, après qu'elle ait rouspété après presque tout le monde, la consternation se change en colère, et l'état d'esprit violent reprend le dessus.

— Je me demande ce qui va se passer. Ils ne vont plus la supporter longtemps, c'est certain.

Marc est d'accord avec moi et, pour la première fois, il a l'air sincèrement inquiet.

Je suis en train de chercher mon manteau quand je sens quelqu'un me toucher le coude. Me retournant vivement, je vois Nanci.

— Laura, me dit-elle, pourrais-tu rester ici un moment? J'aimerais te parler.

Qu'est-ce qui me surprend le plus? Le fait qu'elle veuille me parler ou celui qu'elle m'appelle Laura, ce qu'elle n'a pas fait depuis des semaines?

— Certain, je peux rester.

Je regarde Marc qui me jette un coup d'oeil compréhensif.

— Je te téléphonerai demain, me dit-il avant de partir.

Il est tellement gentil, je suis bien chanceuse de l'avoir.

Une fois tout le monde parti, Nanci et moi nous nous assoyons au bord de la scène. Un projecteur est resté allumé et dessine des ombres bizarres dans la salle.

Nanci porte une mini-jupe en suède et un collant d'un violet vif. Son collant a une maille filée. Curieusement, en remarquant ce détail, j'ai pitié d'elle. À moins que je n'aie pitié d'elle parce qu'elle a la tête rentrée dans les épaules, comme si elle avait peur de moi. Elle n'ose même pas me regarder en face.

— Je ne sais pas si tu es au courant, Laura, mais monsieur Carrier et moi avons eu un entretien l'autre soir.

Comme je reste muette, elle poursuit :

— Ce n'est pas moi qui ai demandé à lui parler. J'imagine que les jeunes ne m'apprécient pas comme adjointe au metteur en scène.

Je n'arrive pas à croire que cette Nanci effrayée, vulnérable soit la personne autoritaire, méchante qui a fait de nos répétitions un cauchemar. Si seulement les jeunes pouvaient voir la Nanci qui est à côté de moi.

— C'est-à-dire que…

Je me tais aussitôt, ne sachant plus quoi dire.

— N'essaie pas de me dire que ce n'est pas vrai, Laura, dit Nanci en me regardant en face pour la première fois. Je sais qu'ils me haïssent tous. Je sais qu'ils me donnent des surnoms méchants et qu'ils disent plein de bêtises dans mon dos.

On dirait qu'elle va fondre en larmes. Il faut que je dise quelque chose.

— Je ne crois pas qu'ils te haïssent, dis-je, peu convaincue de ce que j'avance. Ils n'aiment pas ton attitude. Moi non plus d'ailleurs, et je ne te hais pas pour autant. J'ai seulement l'impression de ne plus te connaître.

— C'est bien là le problème. Il m'arrive de ne plus me connaître moi-même, se confesse Nanci. Après avoir parlé avec monsieur Carrier, je m'étais jurée de changer. Et regarde ce qui s'est passé. (Elle se met à tousser et deux larmes roulent sur ses joues.) Je suis venue ce soir pleine de bonnes intentions et j'ai encore commis les mêmes erreurs. Je veux changer, je t'assure, mais je ne crois pas que les jeunes acceptent de me donner une deuxième chance. Dès que je me dis qu'ils doivent me haïr, je panique tellement que je me comporte de nouveau comme je ne voulais plus le faire.

Elle tourne ses grands yeux bruns vers moi. Je ne remarque pas le mascara qui coule ni les ombres à paupières d'un rose et d'un bleu criards, je ne vois que les yeux bruns de mon ancienne amie.

— Pourrais-tu m'aider, Laura? Essayer d'arranger les choses avec les autres et me donner des conseils?

— Es-tu sincère ou essaies-tu simplement de te tirer d'affaire avec monsieur Carrier?

— Non, je suis très sincère. Je veux que les jeunes m'apprécient.

Je pousse un profond soupir de soulagement.

— Je pense qu'on peut arranger ça.

— Comment? demande Nanci d'une voix encore tremblante.

— Je pense qu'ils ne te connaissent pas bien, Nanci. Il faut reconnaître que, depuis que tu es revenue de France, tu as un comportement bizarre, non?

Pour la première fois, je vois une esquisse de sourire sur ses lèvres.

— Alors, tout ce que tu as à faire, c'est de redevenir la personne que tu étais auparavant. Je pense que les jeunes t'apprécieront à ce moment-là.

Je lui touche le genou et j'ajoute:

— Moi, je l'apprécie cette personne-là, et on dit que je juge assez justement les gens.

Nanci émet un drôle de son, un mélange de rire et de sanglot. Elle essuie ses larmes du revers de sa main et me demande:

— Est-ce que mon mascara a coulé?

Je ne peux m'empêcher de rire.

— Tu ressembles à un jujube à la réglisse fondu. Je regrette, Nanci, mais il y a des moments dans la vie où il faut être franc.

Nanci acquiesce de la tête. Je l'accompagne à la toilette où elle se rince le visage. Quand nous sortons de l'immeuble, Nanci s'est remise de ses émotions. J'en profite donc pour lui demander :

— Pourquoi as-tu fait ça?

— Quoi ça?

— Tout, te mettre tant de maquillage, avoir une attitude bizarre, et me chiper José en plus.

Le visage de Nanci exprime le remords le plus sincère.

— Je suis désolée, Laura, pour ça. J'ai vraiment honte.

De peur qu'elle ne se remette à pleurer, je m'empresse de lui dire :

— Chut! C'est oublié, tout s'est arrangé. J'aimerais seulement savoir ce qui t'a poussée à te comporter ainsi.

— Je suppose que je voulais être *différente*. J'ai toujours été timide. J'ai voulu être quelqu'un d'autre pour changer. Et je t'ai toujours trouvée si jolie et si formidable, Laura, que, lorsque j'ai eu la chance de te voler ton petit ami, je n'ai pas résisté. Tu me pardonnes?

— Oui, mais ne t'approche pas de Marc surtout, car lui, je ne le laisserai pas partir sans me battre.

— Tu n'as rien à craindre, m'assure Nanci. J'ai assez de

problèmes pour le moment sans m'en rajouter.

Elle me sourit. Ce sourire bref, honnête me fait remonter à la mémoire tous les bons moments que nous avons passés ensemble. Ces souvenirs aidant, j'ose croire que tout va s'arranger.

Arriver à convaincre les jeunes de donner une autre chance à Nanci n'est pas chose facile. Il me faut faire preuve de persuasion. Heureusement que Marc m'aide dans ma démarche.

— Tu plaisantes ou quoi? hurle à mon oreille Marie-France Lefloch quand je lui téléphone. Cette vipère? On aura toujours des ennuis avec elle, Laura.

Je la supplie:

— S'il te plaît, Marie-France, je crois qu'elle tient beaucoup à changer. Donnez-lui juste un peu de temps pour se replacer.

— Ça risque de lui prendre le reste de ses jours car elle doit changer du tout au tout.

— Je le sais, mais tu devrais essayer de faire patienter les autres avant de retourner chez monsieur Carrier... Je sais que si tu leur parles, ils t'écouteront car ils t'apprécient beaucoup, ils seraient d'accord que tu sois à leur tête.

C'est cette pointe de flatterie qui la touche. Elle accepte de donner une autre chance à Nanci et, à mon grand soulagement, de parler aux autres.

Le dimanche soir, puisqu'il n'y a pas de répétition, nous devons aller souper à l'observatoire avec le professeur Janin. J'ai préparé un pique-nique pour trois. Marc, lui aussi, a parlé avec les membres de la troupe.

— Alors, comment ça s'est passé?

— Ça n'a pas été facile, dit-il dans un soupir. Je serai franc avec toi, Laura, personne n'aime ton amie. Il a fallu que je parle beaucoup pour réussir à les convaincre. Maintenant, il n'en tient qu'à Nanci. Il va falloir qu'elle montre un désir évident de s'améliorer, sinon…

— Sinon quoi?

— Sinon «Tchao Nanci!», plaisante Marc, puis il hume l'air à la manière de l'ogre du Petit Poucet: Qu'est-ce que je sens là? Une bonne odeur de poulet frit!

— *Et* de la salade de pommes de terre… *et* des clémentines… *et*… (je le regarde d'un air rusé) …des carrés au chocolat couverts d'une tonne de glaçage.

— Miam! je ne peux pas attendre; il faut que je mange tout de suite.

Et il fait mine de sauter sur moi, ou plutôt sur mon panier. Marc est un amoureux du chocolat, encore plus que moi, ce qui n'est pas peu dire.

Notre soirée à l'observatoire est la plus belle que nous ayons passée ensemble. Après avoir partagé notre repas avec le professeur, nous passons deux heures magiques à regarder dans le télescope géant. On se croirait au paradis, ni plus ni moins. En sortant de l'observatoire, je lève les yeux au ciel. Les étoiles, les planètes, les nébuleuses si éloignées de moi, toutes ces merveilles me dépassent. Je m'imagine tous ces lieux lointains de l'univers où j'aurais pu me retrouver. Brusquement, j'étreins Marc de toutes mes forces et je lui avoue:

— Je suis heureuse d'être née sur cette planète, auprès de toi.

Pour le convaincre de ce que j'ai dit, je l'embrasse passionnément. Quand on observe les étoiles, ça donne envie de faire des choses audacieuses, excitantes car l'univers est un lieu audacieux, excitant.

— J'en suis heureux moi aussi, dit Marc en m'embrassant à son tour.

Il lève ses yeux noirs au ciel et nous restons un moment ainsi, à contempler la nuit, dans les bras l'un de l'autre, sur le point de perdre l'équilibre et de nous perdre dans la mer d'étoiles qui nous entoure. Au bout d'un moment, Marc brise le charme en sortant les clés de son auto :

— C'est bien beau tout ça, mais il faut redescendre sur terre.

Sur terre, là où il y a Nanci et les problèmes. Apercevant une étoile filante, je fais aussitôt le voeu que les choses s'arrangent.

Le lendemain soir, à la répétition, l'atmosphère est plutôt calme et quelque peu tendue. On constate quand même un résultat positif à la fin de la soirée. Personne n'a invectivé personne et aucun membre de la troupe n'a menacé d'aller parler à monsieur Carrier. Les jeunes ne rendent néanmoins pas la vie facile à Nanci. Je la trouve bien courageuse d'oser demander aux membres du choeur de venir un peu plus tôt le lendemain afin qu'ils lui fassent des propositions pour changer la mise en scène de leurs numéros. Une des filles persifle :

— Je n'arrive pas à le croire, la Reine qui demande conseil à ses sujets.

Pauvre Nanci! Elle feint de ne pas entendre. Elle fait des efforts, c'est indéniable, et elle ne va pas se laisser abattre par quelques critiques malveillantes.

La plus grosse surprise de toutes se produit à la fin de la

semaine. Nanci arrive à la répétition en jean, souliers de course et tee-shirt tout ce qu'il y a de plus ordinaire. Finis les vêtements excentriques, les boucles d'oreilles clinquantes et les ombres à paupières multicolores. Pour tout maquillage, elle porte un peu de fard à joues et du rouge à lèvres discret. En la voyant ainsi, redevenue la Nancy que je connaissais, je ne peux m'empêcher d'aller à sa rencontre et de la prendre dans mes bras en disant :

— Tu es très jolie.

— Tu crois? me demande-t-elle, un peu craintive.

— Est-ce que je te mentirais, moi qui t'ai dit que tu ressemblais à un jujube à la réglisse fondu, il y a quelques jours?

Nanci part à rire. Je pousse un long soupir de soulagement. En fin de compte, tout va s'arranger.

Tout s'arrange à merveille, même. La première de *Mélodie Rock* est un tel triomphe que nous devons faire des représentations supplémentaires. La critique dans les journaux locaux est, paraît-il, élogieuse. C'est une bonne référence pour ma future carrière.

Pour l'instant, cependant, je préfère penser au présent, c'est-à-dire à Marc. Il est merveilleux. Avant le lever de rideau, il plaisante avec moi pour me mettre à l'aise, il me couvre de compliments.

Le spectacle est donc un succès. Tout est redevenu normal, à preuve le programme sur lequel est écrit : « Mise en scène : Nancy Marcotte ». Nous avons beaucoup de plaisir à jouer cette comédie musicale et personne ne pourrait se douter que nous avons eu à faire face à tant d'obstacles, que nous avons même risqué une mutinerie. Nanci, je veux dire Nancy, est formidable. Debout dans les coulisses, elle encourage les comédiens avant leur entrée en scène et les complimente à leur sortie. Elle prend même du fil et une aiguille pour raccommoder un costume qui s'est déchiré. Si cela ne suffit pas à convaincre les jeunes qu'elle a changé, rien ne le fera.

Le meilleur de tout — pour moi en tout cas — ce sont les applaudissements assourdissants, on croirait entendre le grondement de l'océan. Aussitôt le rideau baissé après le dernier rappel, Marc se rue vers moi et me tend un paquet plat enveloppé dans du papier bleu constellé d'étoiles argentées.

— Tiens, c'est pour toi.

Je déchire le papier et m'exclame :

— Un livre ! Quelle merveille !

J'adore recevoir des cadeaux à l'improviste. En l'examinant de plus près, je constate que c'est un livre d'astronomie superbement illustré avec des photos en couleurs. Le plus intéressant, c'est la dédicace de Marc : « Des étoiles pour une future star. Avec tout mon amour, Marc ». Je lui saute au cou et j'essaie de retenir les deux larmes qui menacent de couler.

— Tu es la personne la plus merveilleuse que je connaisse.

— Je n'en suis pas si sûr. Pourrais-tu m'en convaincre ?

Je l'embrasse devant les jeunes qui sont toujours sur la scène. C'est le troisième moment le plus heureux de ma vie. Le premier étant le jour où j'ai reçu une bicyclette à deux roues ; le deuxième quand j'ai eu un chien à moi toute seule. Je suis aux anges et, soudain, j'entends une salve d'applaudissements suivie d'un éclat de rire général. J'ouvre les yeux et je réalise que le rideau s'est de nouveau levé et que Marc et moi nous nous sommes embrassés devant tous les spectateurs, y compris nos familles respectives.

Monsieur Carrier et Nancy viennent sur la scène. Notre

scénariste et metteur en scène fait un discours dans lequel il fait remarquer que nous avons travaillé en équipe et qu'il est très fier de nous tous. Nancy prend à son tour la parole. Elle dit qu'elle a joué un rôle secondaire et que tout le mérite revient à la troupe. Une fois de plus, je l'admire pour son courage. Les autres aussi, puisque, une fois le rideau baissé, ils vont lui parler et l'invitent à la soirée qui doit suivre la représentation.

Maintenant que le rideau est baissé, Marc et moi nous pouvons nous embrasser tout notre saoûl, ou presque, car nous devons aller à la soirée.

— Tu aimes vraiment ton cadeau? me demande Marc en me prenant par la main. Sinon, je pourrai le changer.

— Non, non, dis-je en serrant le livre contre ma poitrine. Maintenant, tu vas pouvoir m'apprendre à localiser chaque étoile dans le ciel.

Marc m'embrasse sur la tempe.

— Si tu veux, avec plaisir.

Je ne sais si c'est grâce aux innombrables voeux que j'ai faits chaque fois que je voyais une étoile filante, mais, pour la première fois de ma vie, tout s'arrange selon mon désir.

FIN

Essayer de parler à Nanci, c'est comme de parler à un mur. Pire même puisqu'un mur ne riposterait pas comme le fait Nanci. Je prends des gants pour lui dire :

— Certains jeunes ne comprennent pas que ce que tu fais c'est pour le bien du spectacle. Ils sont, disons, mécontents, et je crois qu'ils vont aller s'en plaindre à monsieur Carrier.

Nanci porte un mascara bleu vif aujourd'hui. En se levant de surprise, ses cils laissent des petits points bleus sur ses paupières.

— Ils vont se plaindre de quoi ? s'étonne-t-elle.

J'aurais envie de répondre « de toi », mais je préfère la ménager :

— De certains problèmes qui existent depuis quelque temps.

— Des problèmes ? Je ne vois pas de quoi tu parles, Laurita.

— Peut-être pas. Toujours est-il qu'ils sont mécontents et qu'ils veulent en parler à monsieur Carrier.

Pendant une minute, Nanci se contente de me fixer. Quand elle prend la parole, sa voix exprime une tension incroyable :

— Ils veulent parler de *moi* ? Voyons, Laurita, je ne suis la source d'aucun problème. Ce n'est pas parce que tu meurs d'envie de m'envoyer en Sibérie que…

— Quoi?

Les poings sur les hanches, Nanci me toise en hurlant :

— Je vois très clair dans ton jeu. Depuis que ce José t'a laissé tomber, tu…

En furie, je lui hurle à mon tour :

— Il ne m'a pas laissé tomber !

— Tu peux dire ce que tu veux, Laurita, mais crois-moi, tu ne t'en tireras pas comme ça. C'est *toi* qui causes les problèmes. Tu me renverrais du spectacle tout de suite si tu le pouvais !

Là, je perds mon sang-froid. Je tremble comme une feuille. Nanci tourne les talons et s'en va. Je lui lance :

— Si j'avais voulu te faire renvoyer du spectacle, j'aurais eu beaucoup d'aide pour le faire, *beaucoup* !

Dès que j'arrive à la répétition le lendemain, je comprends qu'il se passe quelque chose. Tout le monde est silencieux et l'atmosphère est très tendue. On me fait des remarques étranges : « Ne t'inquiète pas », « Tu as notre appui », etc.

Voyant Marc, je lui demande dans un murmure :

— Pourrais-tu me dire ce qui se passe?

Sans répondre à ma question, il me donne un léger baiser. Je le regarde d'un air interrogateur :

— Tu sais très bien ce qui se passe, n'est-ce pas ?

— Oui, mais je ne peux pas te le dire maintenant.

— Pourquoi? Est-ce que ça me concerne?

Je commence à croire qu'un complot se trame contre moi.

— Oui, mais ce n'est pas toi la responsable. Je t'expliquerai ce qui se passe après la répétition, d'accord ?

Il n'y a pas à discuter. J'oublie donc toute cette histoire et entre dans la peau de mon personnage le temps de la répétition. C'est une bonne expérience, qui me servira dans ma future carrière d'actrice. On doit laisser nos problèmes personnels en dehors de la scène.

Ce n'est qu'une fois dans son auto alors qu'il m'accompagne chez moi que Marc aborde le sujet :

— Je suppose que tu as parlé à Nanci, que tu lui as dit que les jeunes voulaient se plaindre à monsieur Carrier.

— Oui, disons que j'ai essayé, mais elle ne m'a pas crue, dis-je en me rappelant la désagréable scène.

— Tu te trompes. Elle t'a crue, suffisamment en tout cas pour aller voir monsieur Carrier la première.

Je sursaute d'étonnement.

— Elle est allée le voir ?

— Oui, et elle lui a dit que tu causais un tas de problèmes et que...

— *Quoi ?* Elle a dit que je causais, moi, des problèmes ? Ah, la saleté !

— Hé, calme-toi, l'histoire ne se termine pas là.

— Je l'espère bien, dis-je en serrant les poings.

— Apparemment, elle voulait t'attirer des ennuis en allant voir monsieur Carrier la première. C'était plutôt idiot de sa part car il ne l'a pas crue. Il a assisté à suffisamment de répétitions pour savoir que tu joues bien et que tu travailles fort.

Donc, avant d'agir, il a parlé aux autres.

Ouf! Je commence à me sentir mieux.

— Est-ce qu'ils lui ont dit quelle vipère est Nanci?

— Oui, ils le lui ont dit.

— On va s'en débarrasser alors?

— Non, pas vraiment.

— Comment ça? Tu m'as dit à l'instant qu'ils ont expliqué à monsieur Carrier tout ce qu'elle…

Marc me regarde en coin :

— Si je me souviens bien, ce n'est pas toi qui voulais lui donner une seconde chance?

— Oui, mais ça, c'était avant.

— Avant quoi?

Je ne veux pas lui raconter la querelle que j'ai eue avec Nanci, ni les cris que nous avons échangés, je lui dis simplement :

— Avant que j'essaie de la prévenir et qu'elle ne se retourne contre moi.

Marc pousse un soupir :

— Que ça nous plaise ou non, nous allons être obligés de lui donner une seconde chance. Carrier prétend que nous sommes trop proches de la première pour trouver une autre adjointe. Et tu dois reconnaître, Laura, qu'il a raison. Quoi que l'on puisse ressentir individuellement, c'est le spectacle qui importe.

— Il t'arrive d'être plein de bon sens, dis-je pour le taquiner.

— C'est facile pour moi de l'être. Nanci ne m'a jamais attaqué personnellement.

— Ne t'en fais pas, ton tour viendra. Elle réussira à faire la vie dure à tous avant la première. Souviens-toi de ce que je te dis.

Comme de fait, Nanci ne tarde pas à me donner raison. Quelques jours plus tard, à la répétition, je la vois regarder Marc avec insistance et lui sourire. À la fin de la répétition, elle s'approche de lui et lui demande de rester une heure de plus pour répéter une de ses scènes. Marc me lance un regard impuissant. Je lui fais un signe de tête compréhensif et je rentre chez moi avec les autres.

Environ une heure et demie plus tard, au moment même où je me remémorais ce qui s'était passé avec José et où je commençais à me tracasser de savoir Marc seul avec Nanci, le téléphone sonne. C'est Marc qui m'appelle pour me souhaiter bonne nuit.

— Ton amie est drôlement bizarre, dis donc.

— Que veux-tu dire par là?

— On a à peine répété la scène. Elle a surtout parlé, elle n'a pas arrêté de parler. Je te dirai que je n'ai pas compris grand-chose à ce qu'elle a baragouiné. Comme je t'ai dit, je la trouve bizarre.

— Oh non, elle ne va pas me refaire le coup.

— Quel coup? De quoi parles-tu?

— Tu te souviens de José Fortin, le gars avec qui je sortais quand les répétitions ont débuté? Nanci a commencé par s'immiscer entre nous. Au bout d'un moment, j'ai laissé faire et je me suis retirée du tableau.

— Et tu as peur qu'elle fasse le même numéro avec moi?

— Oui. Elle m'en veut et elle a probablement envie de se venger. Tu n'as pas remarqué que l'intérêt qu'elle te portait était plus que professionnel?

— Si, je l'ai remarqué, mais tu n'as rien à craindre, elle n'est pas du tout mon genre.

Ouf! Quel soulagement! Et Marc de conclure:

— Bon, maintenant fais tes devoirs et va te coucher. Et ne te tracasse pas pour Nanci; je sais comment m'y prendre avec elle.

Je me couche d'excellente humeur, soulagée d'apprendre que Marc est différent de José. Je n'aurais peut-être pas dû accuser Nanci de nous avoir fait rompre, José et moi. Si José ne s'était pas laissé faire, Nanci ne serait pas arrivée à ses fins. Et si elle s'imagine qu'elle va me chiper Marc, elle va être déçue.

Brunette saute sur mon lit. Je sens son museau frais sur ma joue. Elle essaie de se glisser sous les couvertures. Je ne le devrais pas mais je la laisse s'installer avec moi. Elle pose sa tête sur l'oreiller, comme un être humain, et se met à grogner de plaisir. Lui flattant le dessus de la tête, je lui dis:

— Nanci n'a pas que des mauvais côtés. Si elle ne m'avait pas chipé José, je ne serais jamais sortie avec Marc, et ç'aurait été bien dommage.

Brunette ne m'écoute pas, elle est déjà profondément endormie, et je ne tarde pas à l'être moi aussi.

Dès lors que Marc m'a assuré qu'elle ne l'intéresse pas, je

peux regarder, l'esprit tranquille, Nanci flirter avec lui au cours des répétitions. Et je ne suis pas la seule à le faire ; elle est tellement peu subtile que tout le monde a remarqué son manège. J'admire le flegme de Marc. Il fait semblant de ne pas comprendre où elle veut en venir. Quand elle lui demande, pour la troisième soirée consécutive, de rester après la répétition, je vois qu'il commence à s'énerver. Je me demande quand il va perdre patience. S'il le fait, Nanci l'aura bien mérité.

Malgré tout, je ne m'attendais pas à ce qui arrive lors de la répétition générale. Tout le monde est nerveux car la première doit avoir lieu le surlendemain. Tous les billets ont été vendus. Le critique de théâtre d'un journal local doit assister à la représentation. Je suis prête pour lui. Je vois déjà d'ici les commentaires élogieux qu'il va faire sur la troupe en général, et sur moi en particulier.

Absorbée dans mes rêveries, je ne remarque pas immédiatement ce qui se passe. Ce n'est que par la suite que je constate que Marc a l'air particulièrement fatigué. Je lui donne un petit baiser d'encouragement dans les coulisses et je lui conseille :

— Ne te tracasse pas pour la pièce. Ça va être un triomphe.

Il me regarde d'un air bizarre.

— Ce n'est pas la pièce qui me tracasse. C'est…

Nanci, ça ne peut être qu'elle. J'interromps Marc :

— Ne prononce pas son nom.

— Je te jure que si elle essaie de flirter avec moi une autre fois, je…

Il serre les poings comme s'il voulait casser la figure à quelqu'un.

— Tu n'as qu'à l'ignorer. D'un côté, tu comprends maintenant ce que peuvent ressentir les filles quand les garçons insistent pour sortir avec elles.

Marc a l'air surpris.

— Tu me prends pour ce genre de gars ?

— Non, évidemment, dis-je me sentant un peu injuste de mettre tous les hommes dans le même panier. Toi, tu es du genre délicat.

— Je ne le serai plus très longtemps si elle continue à me casser les pieds.

Après cette conversation, j'y regarde de plus près et je comprends aussitôt cc que veut dire Marc. Nanci ne le lâche pas d'une semelle. Quand il est sur la scène, elle est derrière lui comme son ombre. Une fois dans les coulisses, elle est collée à lui comme de la glu, accrochée à son bras. Marc a l'air de plus en plus épuisé, comme si elle lui suçait le sang. La prochaine fois qu'ils feront un film de vampire à Hollywood, ils devraient venir voir Nanci à l'oeuvre ; ça leur donnerait des idées.

Puis, à la fin de la répétition, alors que tout le monde s'affaire sur la scène, je vois Marc retirer brutalement son bras de l'emprise de Nanci. Il semble furieux au point que j'ai moi-même un peu peur. Je l'entends hurler :

— Non, ça ne me dit rien d'aller boire un Coke avec toi ! Es-tu aveugle, bon sang ? Je sors avec Laura depuis un mois et je suis très heureux avec elle. Sortir avec toi, ça ne m'a jamais intéressé et ça ne m'intéressera jamais ; alors va embêter quelqu'un d'autre !

Comme les autres, j'ai entendu très distinctement chacune des paroles de Marc. Sa déclaration est suivie d'un silence stupéfait. Puis David Bourgeois se met à applaudir en criant : « Bravo ! Encore ! » Au bout de quelques secondes, tous les autres l'imitent et acclament Marc. C'est une réaction cruelle, je le sais, et bien que je ne me joigne pas à eux, je comprends pourquoi ils en sont arrivés là. C'est l'aboutissement logique de toutes les humiliations que Nanci leur a infligées pendant les semaines passées. Elle récolte le fruit de toute sa méchanceté.

Dès que les applaudissements commencent, Nanci devient rouge comme une pivoine sous son fard à joues chatoyant. Puis elle tourne les talons et quitte la scène. Elle passe si près de moi que je remarque les larmes souillées de mascara qui ruissellent sur ses joues. J'ai l'impression que personne d'autre que moi ne s'est rendu compte qu'elle pleurait, sinon ils ne diraient pas autant de méchancetés sur elle aussitôt après son départ.

Un moment plus tard, alors que Marc et moi sommes assis sur mon perron, occupés à localiser Vénus, apparemment visible ce soir, je me blottis contre lui et lui avoue :

— Je suis très triste.

— À cause de Nanci ? me demande Marc en me caressant le sommet du crâne comme je le fais à Brunette quand je dois l'emmener au bureau de papa se faire vacciner contre la rage.

— Oui, je sais bien qu'elle a été odieuse, mais tu te rends compte ? Se faire repousser ainsi devant tout le monde et subir ces applaudissements humiliants.

Rien que de m'imaginer dans une situation semblable me donne des frissons dans le dos. Je me demande si Nanci osera se remontrer à Valmont ou si elle s'apprête à quitter la ville.

Marc continue à me caresser la tête, puis il me demande :

— Est-ce que ça veut dire que tu m'en veux ?

— Non, elle t'a tellement ennuyé, je t'ai même trouvé trop patient. Je trouve dommage que ce soit arrivé, c'est tout.

— C'est dommage en effet. Si j'avais su comment cela allait se terminer, je me serais tu. Je ne me suis même pas rendu compte de la force de ma voix. Tu me crois au moins?

— Bien sûr que je te crois, dis-je en l'étreignant. Tu ne ferais de mal à personne — pas même à Nanci.

Il m'embrasse le bout du nez car le reste de mon visage est caché dans mon écharpe.

La situation entre Nanci et les autres reste plutôt tendue jusqu'au soir de la première. Ils s'adressent la parole le moins possible. Les jeunes en sont très contents car cela leur permet de ne plus être insultés par Nanci ou de ne plus avoir à supporter ces remarques et ces critiques dans son charabia. Ils assouvissent leur colère en plaisantant dans son dos. Nanci, évidemment, fait semblant de ne rien entendre. Vous allez sans doute me trouver folle, mais j'ai un peu pitié d'elle.

Au lever du rideau le soir de la première, je me mets à espérer que les jeunes oublient un moment leurs rancœurs.

Mon souhait est exaucé et la pièce est un franc succès. Les spectateurs applaudissent à tout rompre et nous rappellent trois fois. Monsieur Carrier monte ensuite sur la scène. Il nous félicite et nous remercie pour notre travail et notre courage. Il ajoute ensuite qu'il doit remercier une autre personne. Il étend le bras vers les coulisses et Nanci se présente sur scène.

Étant placée devant les autres membres de la troupe, je suis incapable de voir l'expression de leurs visages. Je sens malgré tout leur rancune et je distingue quelques murmures sarcastiques. J'espère que Nanci ne les entend pas. Cela fait des semaines qu'elle n'a pas eu une allure aussi normale. Son maquillage n'est plus aussi bariolé et sa jupe a retrouvé une longueur décente : elle lui arrive au genou. Après avoir jeté un coup d'oeil à monsieur Carrier, elle se tourne vers les spectateurs :

— C'est agréable d'être ainsi remerciée, mais les mercis reviennent entièrement aux membres de la troupe. Ils ont été formidables, je ne veux pas seulement dire talentueux et travailleurs, mais également patients. Ils ont supporté des choses très pénibles. Je tenais à les remercier car c'est grâce à eux que ce spectacle a été une réussite.

Je suis tellement stupéfaite par les paroles de Nanci que je ne remarque pas tout de suite *comment* elle les dit. Elle a abandonné son jargon ; elle parle de nouveau notre langage.

Lorsque nous quittons finalement la scène, je demande à Marc :

— As-tu remarqué ?

— Remarqué quoi ?

Je dois lui expliquer ce dont je parle. Marc n'est pas le seul à ne pas avoir remarqué de changement chez Nanci. La preuve, c'est qu'ils la traitent tous d'hypocrite puisque, après nous avoir mené la vie dure pendant des semaines, elle nous remercie de l'avoir supportée.

Je risque de devenir encore moins populaire que mon ancienne amie, mais je me sens obligée d'intervenir :

— Je crois qu'elle essaie sincèrement de changer. Et ce sera très difficile pour elle de le faire si vous ne lui donnez pas une chance.

J'espère que ma remarque en fera réfléchir certains. Un moment plus tard, je demande à Nanci si elle a besoin qu'on la conduise à la soirée qui a lieu chez monsieur Carrier. Elle m'adresse un sourire triste, timide :

— Je… je ne crois pas que je vais y aller.

— Mais si, tu vas y aller, dis-je en lui prenant la main pour qu'elle ne se sauve pas. Tu n'as pas le choix, tu dois y aller.

Je ne saurais pas dire pourquoi, mais, en cet instant précis, je sais que Nanci et moi allons redevenir des amies. Et je suis persuadée que Nanci va redevenir elle-même. Je la fais donc monter de force dans l'auto de Marc et reste à son côté pour entrer chez monsieur Carrier. Elle a peur. Je la comprends, il y a de quoi. Les jeunes ont pris l'habitude de la haïr et il va leur falloir un certain temps pour la voir sous un nouveau jour.

À notre arrivée — Nanci placée entre Marc et moi — je remarque quelques haussements de sourcils. Marc et moi répondons aux coups d'oeil hostiles par des regards de défi. Marc est formidable. Il a souffert autant que les autres des entourloupettes de Nanci. Pourtant, dès que j'ai décidé d'aider mon amie, il n'a pas hésité à me soutenir.

Après environ une heure, Nanci se sépare de nous pour aller causer avec d'autres jeunes et faire la paix avec eux. J'admire son courage. Aurais-je été capable d'en faire autant? Pas sûr. Les jeunes finissent par comprendre son message. Est-ce dû à son courage, au fait que le spectacle ait eu un tel succès qu'ils n'ont plus de place pour la rancune, ou simplement au fait que ce soient de braves jeunes qui sont prêts à lui donner une autre chance? Ils gardent une certaine distance envers elle, c'est sûr. Malgré tout, d'ici la fin de la soirée, on peut noter un immense progrès. Je parierais que d'ici la fin des représentations, dans deux semaines, nombre d'entre eux se seront faits amis avec elle.

Un peu plus tard, ce soir-là, après que nous ayons déposé

Nanci chez elle, Marc entre un moment chez moi. Tout le monde dort, mais une belle surprise nous attend sur la table de la cuisine : une grande carte adressée à tous les deux disant FÉLICITATIONS, une assiette de biscuits au chocolat et une bouteille de Coke déposée dans un seau à glace comme du champagne, le tout décoré de confettis et de serpentins.

— Il y a du maman là-dessous, dis-je en dévissant la capsule du Coke.

Les confettis, le seau à glace et les biscuits me donnent envie de pleurer. Ce qui me touche le plus, cependant, c'est la carte qui s'adresse à nous deux. Je prends Marc dans mes bras et lui murmure :

— Ils commencent à te considérer comme un membre de la famille, tu sais.

Le visage de Marc s'assombrit.

— Justement, je voudrais te parler de ça et de l'initiative que tu as prise d'amener Nanci avec nous à cette soirée.

Un frisson d'angoisse me parcourt aussitôt l'échine. Je vois soudain mon univers de bonheur s'effondrer. Marc m'en veut-il ? A-t-il l'intention de rompre ? A-t-il le sentiment que j'essaie de le prendre au piège en le forçant à faire partie de ma famille ? Je prends mon courage à deux mains et lui demande :

— Que veux-tu me dire au juste ?

Marc retire une mèche de cheveux de mon visage. J'ai le goût de pleurer. Je ne supporterai pas de le perdre.

— Ce que tu as fait ce soir — amener Nanci à cette soirée — m'a ouvert les yeux. J'ai compris tout à coup que je t'aime, Laura.

Ai-je bien entendu? C'est impossible. Marc m'a-t-il bien dit qu'il m'aime? Mes doutes s'effacent quand il me répète dans le creux de l'oreille :

— Je t'aime, Laura.

C'est merveilleux! Peut-on avoir une crise cardiaque et mourir de bonheur?

— Moi aussi, je t'aime, Marc.

C'est la première fois que je dis cela à un garçon, mais je me suis beaucoup pratiquée en le disant à la multitude de chats et de chiens qui ont vécu ou vivent chez nous. C'est différent, bien sûr. Quand je remarque combien ces mots rendent Marc heureux, je comprends que c'est une phrase merveilleuse, magique même, qui m'amène à lui demander :

— As-tu une idée de notre chance?

— Oui, j'en ai une petite idée, dit-il avec un sourire, puis il ajoute, plus sérieux : Nous avons énormément de chance.

Ma tête posée sur son chandail, je songe à tous ceux qui n'ont pas la chance de vivre un tel bonheur et je les plains.

FIN

Il faut absolument que je dise la vérité. Je me suis déjà créé assez d'ennuis à force de mentir ; je n'en veux pas plus. D'ailleurs, j'ai fini par comprendre et par admettre qu'E.T. ne tombera jamais amoureux de moi. Dans l'ensemble, pourtant, je me trouve plutôt sympathique. J'ai peut-être l'esprit un peu pervers mais je suis sympathique. Je ne dois pas être son genre, j'imagine. Même si j'allais sur le court et que je jouais comme Chris Evert, il ne serait probablement pas impressionné. Alors, à quoi sert de prolonger ce martyre ? Il faut que je dise la vérité.

E.T., Daniel et Nanci ont les yeux cloués sur moi. Nanci me questionne à son tour :

— Alors, Lolo, qu'en penses-tu ?

— Euh… c'est-à-dire que…

Dieu seul sait pourquoi, je suis incapable de prononcer les mots qu'il faudrait. Je finis par dire :

— C'est d'accord. (Puis me tournant vers E.T., j'ajoute :) Pourrais-tu m'accompagner chez moi, s'il te plaît ?

Je me promets : je le lui dirai, je lui téléphonerai demain matin à la première heure.

Nous rentrons chez moi à pied. Un silence pesant règne entre nous et je remarque qu'E.T. n'arrête pas de me jeter des petits coups d'oeil perplexes. Je feins même la surprise quand il me demande si quelque chose ne va pas. Je lui réponds avec un peu trop d'emballement :

— Non, tout va bien.

— Tu en es sûre ?

Dans le clair de lune, je vois les yeux noirs d'E.T. posés sur moi. En plus de ne pas m'aimer, j'ai l'impression qu'E.T. commence à me prendre pour une schizophrène. En effet, j'ai passé la moitié de la soirée à rire comme une folle et l'autre moitié à être muette comme une carpe. Je répète :

— Tout va très bien, jc t'assure.

— Ah bon, je te trouve un peu silencieuse.

Je ne relève pas sa remarque. Nous continuons notre chemin en silence. Sur le seuil de ma porte, E.T. m'embrasse sur la joue et me souhaite :

— Bonne nuit, Laura.

— Bonne nuit, dis-je pitoyablement.

C'est la pire soirée de ma vie. Je regarde E.T. se diriger vers la maison des Robitaille. Il ne se retourne même pas pour me faire signe et j'ai le sentiment qu'il doit avoir trouvé cette soirée aussi bizarre que je l'ai trouvée, moi.

Je monte directement à ma chambre. Une fois au lit, je reste un long moment allongée, les yeux fixés au plafond. Ce que je suis malheureuse ! L'épée de Damoclès, vous connaissez ? Elle est là, suspendue au-dessus de moi et va s'abattre demain matin quand je vais avouer à E.T. que je ne sais pas jouer au tennis.

Au bout d'un moment, j'entends mes parents revenir de la soirée dansante. Incroyable, mais vrai ! Pour la première fois, je suis rentrée avant eux. Et moi qui croyais que ça allait être « méga chouettos » d'avoir seize ans !

Dès que je me réveille, je me remémore le cauchemar de la veille : Nanci jumelée avec Daniel, E.T. qui veut changer de partenaire et, le pire de tout, mon mensonge à propos du tennis. L'épée de Damoclès est prête à s'abattre sur moi !

Je décide de téléphoner à E.T. aussitôt après mon déjeuner. Il me devance, cependant, puisqu'il m'appelle alors que j'étais en train de tracer, l'air préoccupé, des lignes dans mon sirop d'érable.

Une question me vient tout de suite à l'esprit : Pourquoi me téléphone-t-il ? Nanci lui aurait-elle dit que je n'ai jamais touché à une raquette de tennis ? Ou ne saurait-il pas jouer lui-même et voudrait-il me l'avouer ? Malheureusement, non. Primo, E.T. ne mentirait pas de la sorte. Secundo, ce serait trop beau pour être vrai. Ce genre de choses n'arrivent qu'au cinéma, pas dans la vraie vie.

— Es-tu là ? s'étonne E.T.

— Oui, bien sûr. Quoi de neuf ?

Silence. E.T. se racle la gorge. Pourquoi a-t-il l'air nerveux ? Il n'a aucune raison de l'être. Il bredouille :

— Je me demandais si nous pourrions nous voir aujourd'hui, Laura ?

— Aujourd'hui ? Oui, bien sûr, tu peux venir chez moi, si tu veux.

— Dans une demi-heure ?

— C'est parfait.

Aïe, c'est pire que ce que je pensais. Au lieu de lui avouer mon mensonge au téléphone, il va maintenant falloir que je le fasse en personne. Cela ne me convient pas du tout, mais je n'y puis rien. Je prends donc le parti de faire ce que je fais toujours dans des circonstances difficiles : je me lave les cheveux et je m'habille à mon avantage. Même si E.T. trouve que je suis une infâme menteuse, il ne pourra pas me reprocher de ne pas en être une séduisante.

E.T. me trouve assise sur le perron. Il s'assoit près de moi. Pourquoi est-il venu ici ? Il devait avoir une idée derrière la tête quand il m'a appelée.

— Est-ce que tout va bien ? Tu n'es pas venu m'annoncer que je suis renvoyée de mon poste de professeure, si ?

Il éclate de rire.

— Pas du tout. Je voulais juste te voir.

C'est curieux. Hier soir, ma compagnie n'avait pas l'air de l'enchanter. Il m'a même échangée contre une inconnue.

— Eh bien, me voilà, dis-je d'une voix faible.

Ce serait le moment idéal pour lui avouer que je ne sais pas jouer au tennis. Pourtant, je ne lui en parle pas.

J'ai l'impression que chacun de nous a quelque chose à dire à l'autre, et que nous ne parvenons pas à le dire. Assis dans les derniers chauds rayons de soleil de l'été, nous regardons des enfants faire de la bicyclette dans la rue. Brunette fourre son museau dans ma main, un signe qu'elle veut qu'on la flatte. E.T. la caresse et la queue de ma chienne ne tarde pas à frétiller.

— Ce que c'est agréable, fait-il.

Veut-il parler du fait d'être assis avec moi, de sentir la chaleur du soleil sur notre peau ou de caresser Brunette ?

C'est agréable, certes, mais c'est également déroutant. Il m'arrive aujourd'hui ce que j'attendais depuis longtemps : avoir E.T. pour moi toute seule. Si c'était arrivé il y a une semaine ou un mois, j'aurais su comment tirer parti de la situation. Mais que son attitude ait pu changer aussi soudainement, j'en suis toute déboussolée. E.T. a peut-être compris tout à coup que je lui plaisais. Mais si tel est le cas, lui plairai-je toujours quand il apprendra que j'ai triché sur mon questionnaire ?

La porte du perron s'ouvre. C'est papa :

— Je vais chez Armand Grenier soigner son cheval. Vous voulez venir avec moi ?

— Qui est Armand Grenier ? me demande E.T.

— Un agriculteur.

Les yeux d'E.T. s'illuminent.

— Est-ce qu'il vit sur une ferme ?

— Évidemment, quelle question ! dis-je, surprise.

— Est-ce qu'on peut y aller, Laura ? demande E.T. avec engouement. J'aimerais bien visiter une ferme québécoise pour voir si elle est différente d'une française.

Son enthousiasme est contagieux. Je le taquine :

— Il ne faut pas grand-chose pour te faire plaisir. Je parie que tu ne t'intéresses à moi qu'à cause de la profession de mon père. Attends-nous, papa, on vient avec toi.

Brunette vient elle aussi. Nous grimpons tous les trois dans la cabine de la camionnette de mon père. Je me mets près de la porte, Brunette sur mes genoux.

Papa demande à E.T. :

— Es-tu déjà sorti de Valmont?

— Une seule fois, la nuit. C'est donc la première fois que je vois le paysage.

— Dans ce cas, mon garçon, tu vas en avoir plein la vue. Il n'y a rien de plus beau que la campagne estrienne.

— Oh, papa, ne commence pas avec ton parti-pris. Il ne va pas tarder à te dire que l'Estrie, c'est le paradis, dis-je à l'intention d'E.T.

Mon père sourit. Je remarque que, à l'exception de quelques rides au coin de ses yeux et de ses cheveux un peu plus clairsemés, il fait aussi jeune qu'il y a dix ans. Il prétend que c'est grâce à ses patients. Contrairement aux humains, les animaux ne contestent pas les soins qu'on leur donne. Ils se contentent d'être reconnaissants quand on les soigne.

— C'est la vérité, c'est le paradis. Tu le savais, E.T., non?

E.T. fait oui de la tête, est-ce par pure politesse ou parce qu'il partage l'avis de mon père? Il regarde droit devant lui. J'essaie de voir comme il le fait, lui, pour la première fois, ce paysage auquel je suis habituée. Cela ressemble assez au paradis, c'est vrai. Lacs profonds et cours d'eau arrosent une nature verdoyante où se succèdent vallons, pâturages et montagnes.

Soudain, pour la première fois depuis hier soir, je me sens très heureuse. Je ne pense plus à Nanci ni aux questionnaires de la soirée dansante ni au gâchis que j'ai provoqué. Je ne songe plus qu'au fait qu'E.T. soit assis à côté de moi et que tout semble bien aller entre nous.

Aussitôt notre arrivée, monsieur Grenier conduit papa dans l'écurie. Madame Grenier, qui me connaît depuis toujours, vient nous accueillir. Lorsque je lui présente E.T., je remarque qu'elle l'apprécie, ce dont je suis contente, et même presque fière.

— Tu devrais emmener E.T. au verger, me suggère-t-elle en me tendant un panier. Vous pourriez cueillir des pommes pour ta mère. Elles commencent juste à mûrir.

Le verger est situé au bout de l'allée. Les arbres sont plantés en rangs réguliers. Dès que nous pénétrons sous la voûte de feuilles, un frais parfum de pommes nous envahit.

— C'est vraiment chouette! s'extasie E.T.

Ce disant, il ramasse trois pommes — abattues par le vent — et se met à jongler avec. Je n'ai jamais vu ça. Il réussit à les lancer en l'air sans qu'aucune ne tombe à terre.

— Je ne savais pas que tu étais si doué. Tu pourrais t'inscrire à un cirque avec ce numéro.

Ma remarque fait sourire E.T. mais il ne me regarde pas. Il se concentre sur les pommes.

— Tu veux essayer?

Sans crier gare, il me lance une pomme que j'attrape d'une main. E.T. s'arrête de jongler et me félicite :

— Bravo!

— J'ai deux frères, tu sais, et je ne manque pas entièrement de coordination.

— Ah bon? plaisante E.T., les yeux brillants de malice. Tiens, attrape donc celles-là.

Après m'avoir lancé les deux autres, il passe dix minutes à essayer de m'apprendre à jongler. C'est peine perdue car je suis complètement nulle. Pour être jongleur, il faut savoir se concentrer sur les objets avec lesquels on jongle. Or j'en suis incapable car je ne peux me concentrer que sur E.T., qui est là, juste à côté de moi. Après que j'ai échappé les pommes pour la dixième ou la onzième fois, E.T. pousse un soupir d'exaspération.

— Il faut absolument que tu apprennes, Laura, sinon le cirque ne t'engagera pas. Et je n'irai pas sans toi.

Nous partons à rire. Même si ce n'est qu'une fantaisie, l'idée est tentante. L'idée de partir avec E.T., n'importe où, me fait monter le feu aux joues.

— Mais si, on m'engagera, mais pas comme jongleuse.

— Comme quoi alors?

— Comme trapéziste!

C'est probablement fou — et même peut-être dangereux — mais je grimpe à un arbre, ce que je n'ai pas fait depuis des années. Une fois arrivée à une branche suffisamment droite et de la grosseur voulue, je m'y assois, croise mes jambes puis me laisse tomber en arrière dans le vide.

— Qu'en dis-tu? dis-je en plaçant mes bras en croix (heureusement que j'avais rentré mon chandail dans mon jean, sinon je serais en mauvaise posture). Je serai trapéziste!

Même vu à l'envers, E.T. a l'air surpris, choqué même.

— Laura! Tu pourrais tomber!

— Ne crains rien, j'ai la tête dure.

Quelle agréable sensation que d'avoir la tête en bas et quelle satisfaction de voir E.T. aussi impressionné! Au bout d'un moment, cependant, je suis bien ennuyée. Quand j'étais petite, si je me pendais ainsi dans le vide, il y avait toujours un de mes parents ou un de mes frères pour m'aider à me relever. Malheureusement, aucun d'eux n'est là. Si je me laisse tomber — tête dure ou pas — c'est dangereux. J'essaie d'attraper la branche d'une main, en vain.

— Je suis coincée, dis-je à E.T.

— Quoi?

— J'ai oublié comment remonter. Aide-moi, s'il te plaît. J'ai peur de me laisser tomber.

E.T. vient vers moi avec un sourire. Il m'attrape à bras le corps :

— Je te tiens. Tu peux te laisser aller.

C'est ce que je fais et nous nous retrouvons tous les deux par terre. Je me relève sur les coudes et me moque de lui :

— Ah bravo!

E.T. rit autant que moi.

— Je ne savais pas que tu étais si lourde.

Je me retourne et nous nous faisons face. Je feins d'être insultée :

— Lourde, moi?

Je fouille les feuilles et trouve une pomme tombée. Pour une fois, mes connaissances en baseball vont m'être utiles. Je m'apprête à lui lancer ma pomme. E.T. arrête mon bras en plein vol. Je laisse tomber le fruit mais ni l'un ni l'autre n'entendons le bruit de sa chute sur le tapis d'herbe et de feuilles car nous nous embrassons.

Je me dégage d'E.T. et je me relève. Cette situation est la plus déroutante que j'aie jamais eue à vivre. J'ai essayé pendant des mois de rendre E.T. amoureux de moi et, quand j'ai abandonné, il semble l'avoir fait. Je sens encore la chaleur de ses lèvres sur les miennes. Je lui demande :

— Pourquoi m'as-tu embrassée ?

— Parce que tu me plais beaucoup, Laura.

Comment ? Je lui plais ? Pourquoi ne me l'a-t-il pas dit deux semaines plus tôt ? En repensant à toute la peine que je me suis donnée pour falsifier les questionnaires, je m'énerve. S'il s'était déclaré plus tôt, je n'aurais pas eu à tricher. Je lui dis d'un ton tellement glacial que je m'attends à ce qu'il me plante là :

— Tiens, ça, c'est nouveau. Pourrais-je savoir depuis quand je te plais ?

— Depuis le jour où je t'ai rencontrée, Laura.

Je cherche du regard cette pomme tombée. Il mérite bien que je la lui lance à la figure.

— Pourquoi ne me l'as-tu pas dit ? Tu me plais aussi, E.T. Tu as bien dû remarquer que j'ai fait tout ce que j'ai pu pour attirer ton attention.

— Ah bon ?

— Mais oui. Pourquoi ne m'as-tu pas demandé de sortir avec toi ?

E.T. a l'air gêné.

— Avant de quitter la France, j'ai suivi un cours avec un tas d'autres étudiants et étudiantes qui devaient partir à l'étranger. On nous a conseillé de ne pas fréquenter sérieusement des représentants ou représentantes du sexe opposé dans le pays où on allait. Ça m'a paru logique à l'époque.

— Et maintenant ?

— Je ne savais pas que j'allais te rencontrer, Laura. J'en ai

145

parlé à Louise — madame Robitaille — hier soir, après la soi-rée dansante. Elle m'a dit que ce serait probablement plus dif-ficile à supporter pour tous les deux si j'allais à l'encontre de mes sentiments. C'est pour ça que je t'ai téléphoné ce matin.

Merci madame Robitaille !

— Alors, qu'en penses-tu, Laura ? Veux-tu sortir avec moi, même si je dois repartir l'été prochain ?

Je pars à rire.

— La plupart des idylles ne durent pas si longtemps que ça ici. Si nous restons ensemble jusqu'en juin, nous battrons pro-bablement un record.

Je lui tends les bras et nous nous embrassons un long moment. E.T. me caresse les cheveux et la nuque. Je me blot-tis contre lui.

— Je crois que nous allons former un couple merveilleux, dis-je dans un soupir.

— C'est certain. Et tu vas voir, quand nous allons jouer au tennis contre ton amie et l'autre gars, nous allons être imbat-tables.

Au tennis ! Oh non, je l'avais oublié, celui-là. Je bredouille :

— Euh… il y a un petit détail que j'ai oublié de te dire.

— Ah oui, lequel ?

Je lui avoue avoir falsifié les questionnaires et je lui expli-que pourquoi je l'ai fait. Contrairement à ce que j'imaginais, il n'est pas furieux. En réalité, il a l'air plutôt flatté. Une fois mon récit terminé, il éclate de rire :

— Tu as l'étoffe d'une femme fatale. Je suis bien content que tu aies trouvé quelqu'un d'aussi charmant que moi, déclare-t-il en me prenant dans ses bras.

— Pourquoi?

E.T. m'embrasse entre les sourcils.

— Parce que je prendrai bien soin de toi.

Je proteste :

— Je n'ai pas besoin qu'on prenne soin de moi. Je sais me débrouiller toute seule.

— Mais oui, mais oui, répond E.T. sans toutefois me lâcher.

Au lieu de continuer à protester, je l'embrasse. Puis je remarque le panier vide à nos pieds.

— On devrait peut-être cueillir quelques pommes?

— Hmmmm, répond E.T.

Sans souhaiter au cheval de monsieur Grenier d'être trop malade, j'espère toutefois que ça va prendre longtemps pour le soigner, car j'ai l'impression qu'il va nous falloir pas mal de temps pour remplir ce panier.

FIN

Le grand match est prévu pour la semaine prochaine. J'emprunte la raquette de mon frère Jean-Luc et je passe deux heures par jour à frapper des balles contre le mur derrière chez moi. Correction : je passe une heure à frapper les balles et une autre heure à aller les chercher dans le jardin du voisin, là où elles atterrissent pratiquement toutes. En d'autres termes, je ne suis pas une Steffi Graf, et je m'estimerai chanceuse si je n'envoie pas les balles sur le court d'à côté.

Le jour du match, un samedi, il fait froid et il tombe une bruine d'automne. Tout en fermant mon sac de sport, je maudis en silence quiconque a inventé les courts de tennis intérieurs. Si nous avions joué cette partie à l'extérieur, elle aurait été annulée en raison de la température. C'est justement la température rêvée pour s'installer confortablement chez soi avec un bon livre et un bol de pop-corn. Il faut être fou pour jouer au tennis par une journée pareille.

Malheureusement, les fous sont arrivés. Nanci et Daniel sont assis à l'avant. Après avoir marmonné un « salut ! », un sourire contraint aux lèvres, je monte à l'arrière de l'auto avec E.T.

Et si je me mettais à vomir ? Ce n'est pas impossible. D'abord parce que ça m'est déjà arrivé un jour dans un magasin. J'étais avec Nanci et j'avais vomi au beau milieu d'une allée. Ensuite parce que j'ai une boule à l'estomac de plus en plus grosse. Il se pourrait donc que je sois malade et que l'on soit obligé de me ramener chez moi. Même Nanci ne me laisserait pas jouer au tennis dans cet état.

Pendant tout le trajet, je m'efforce d'être malade. Je presse même en douce un doigt sur ma gorge. Malheureusement, rien n'y fait. Mon destin n'est pas de tomber malade aujourd'hui. Mise à part une certaine nervosité — bien compréhensible vu les circonstances — je n'ai jamais été en meilleure santé. Quelle poisse !

Une fois arrivés au centre sportif, une autre malchance m'attend. Nous n'avons pas à attendre pour avoir un court libre. Nous déposons nos sacs près du terrain et nous nous préparons pour jouer. Nanci retire son imperméable... Oh non ! Elle s'est dégoté une tenue de tennis punk ! Alors que tous les trois nous portons un short et un tee-shirt classiques, elle est vêtue d'un short en satin rose bonbon orné d'une bande noire, et d'un débardeur violet. Et pour couronner le tout, elle porte ses bijoux habituels : chaîne à gros maillons noire autour du cou, boucles d'oreilles noires décorées de grosses pierres en verre bleu et de plumes. Chaque fois qu'elle brandit sa raquette, on entend un cliquetis ; elle ressemble à une femme-orchestre.

J'espère en secret que toute cette quincaillerie va la gêner. C'est mon dernier espoir. Le plus vain aussi. Daniel et Nanci se sont mis en position. Avant que j'aie pu dire ouf!, une balle jaune vif fonce dans ma direction et j'entends E.T. crier :

— Attrape-la !

Je donne un coup de raquette. Trop tard. La balle est déjà dehors ; Nanci et Daniel ont marqué leur premier point.

Inutile de vous dire que je joue de mal en pis. Je n'arrive pas à toucher une seule balle. L'attirail de Nanci ne la gêne nullement ; elle joue toujours aussi bien au tennis. E.T. aussi.

Après quelques services, il s'installe une sorte d'accord tacite entre nous quatre : Nanci et E.T. dominent le court tandis que Daniel et moi nous nous bornons à essayer de ne pas les gêner. Ma seule consolation, en effet, est de voir que Daniel ne joue guère mieux que moi.

Quand notre heure de court est écoulée, Daniel et moi sommes soulagés.

— Vous voulez aller boire un Coke ? propose Daniel.

E.T. et Nanci hésitent. Ils regardent avec convoitise le terrain vide.

— C'est dommage de ne pas se servir de ce terrain, dit E.T.

— C'est vrai, renchérit Nanci en faisant tourner sa raquette. Avec ce temps d'arche de Noé, les poules mouillées restent chez elles.

— Veux-tu qu'on demande si on peut avoir le court une heure de plus ? Je joue avec toi un match de simple, lui propose E.T.

Je remarque la grimace de Daniel.

— Il faut que je ramène l'auto, dit-il, apparemment aussi enchanté que moi par l'idée de traîner ici une heure de plus.

Nanci trouve aussitôt une solution :

— Pas de problock, j'appellerai mon père.

E.T. me regarde et je comprends par son regard qu'il brûle d'envie de rester jouer. Je le rassure donc :

— Tu peux rester. Je rentrerai avec Daniel.

Dans un grand sourire qui me fend presque le coeur, E.T. me répond :

— Tu es vraiment sympa, Laura.

Ce disant, il tourne les talons et s'en va avec Nanci.

Je suis vraiment sympa, tu parles! Je suis bien avancée. Tout en replaçant ma raquette dans son étui, je regarde E.T. et Nanci. C'est aussi triste que de regarder s'éteindre les dernières braises d'un feu qui vous a tenu chaud. Mes derniers rêves, dont E.T. faisait l'objet, s'évanouissent à tout jamais. Même s'ils n'étaient que des rêves, je les aimais. Maintenant, je me sens vidée et terriblement malheureuse.

— Je hais le tennis, dit Daniel en rangeant brusquement ses souliers sport dans son sac.

— Ce n'est pas mon passe-temps favori non plus.

Nous ne parlons pas du match. Je crois que nous ressentons la même chose : nous sommes des perdants qui se sont ridiculisés.

Une fois dans son auto, Daniel me propose :

— Est-ce qu'un Coke, ça t'intéresse toujours?

— Oui, quoique de l'arsenic serait peut-être préférable.

Nous éclatons de rire.

En d'autres circonstances, j'aurais été ravie d'aller boire un verre avec Daniel Clément. À ce moment-là, cependant, je ne suis pas d'une très agréable compagnie, lui non plus d'ailleurs. Après avoir avalé notre Coke sans pratiquement dire un mot, Daniel me raccompagne.

Ce n'est qu'une fois entrée chez moi que je réalise que j'ai perdu E.T., que je l'ai bel et bien perdu. Et je ne suis que trop consciente du fait que, dans quelques heures, ce sera samedi soir et que je vais devoir le passer seule devant le téléviseur. Comme une idiote, je m'étais imaginé qu'après le match de cet après-midi, E.T. allait m'inviter à sortir avec lui.

Je prends l'horaire de télévision et je me laisse tomber sur un de nos fauteuils. J'entends un miaulement aigu. J'ai atterri sur un de nos chats.

— Excuse-moi, Vamp.

Vamp s'assoit sur le sol d'un air offusqué. Encore une dont j'ai perdu l'estime, me semble-t-il.

C'est bien ma veine : il n'y a rien d'intéressant à la télévision avant dix heures. Je pourrais toujours faire mes devoirs. Non, c'est trop triste.

Je m'apprêtais à me servir une triple portion de crème glacée au chocolat quand le téléphone sonne. C'est un garçon. Je ne reconnais pas sa voix.

— Laura? C'est Daniel Clément.

— Ah salut! dis-je, quelque peu surprise. Est-ce que j'ai oublié quelque chose dans ton auto?

— Non, je me demandais si euh… Je sais que c'est un peu tard pour t'inviter. Je suppose que tu as déjà des plans pour ce soir?

— Non, pas vraiment.

Je n'envisage même pas de mentir. L'orgueil ne paie pas. Si Daniel a des plans à me proposer pour ce soir, je suis prête à les accepter.

— Ah non? Aimerais-tu sortir avec moi? La pluie s'est arrêtée et je dois aller à une promenade en charrette à foin… C'est-à-dire que j'étais supposé y aller avec Nanci mais elle m'a téléphoné tout à l'heure pour se décommander.

Mon cœur chavire en entendant cela. J'ai l'impression que

Nanci a annulé sa sortie avec Daniel au profit d'une avec E.T. Ce n'est pas très agréable de faire le bouche-trou, mais c'est ça ou une soirée seule à me morfondre.

— D'accord. Ça fait des années que je n'ai pas fait de promenade en charrette.

— Super. Je viendrai te chercher vers huit heures.

Je savais bien que la vie n'est pas toujours noire, me dis-je, et qu'elle nous réserve souvent d'agréables surprises.

Comment s'habille-t-on pour une promenade en charrette à foin? J'emprunte une chemise de travail à mon frère Richard. Je l'enfile par-dessus mon jean et je l'ajuste avec ma ceinture élastique rouge. Je mets mes bottes rouges à talons plats. L'effet est juste ce qu'il faut, à la fois réussi et simple.

— J'espère que tu ne trouves pas cette sortie ridicule? me dit Daniel dès qu'il arrive. Après tout, on ne se connaît pas très bien.

— Pas du tout. C'est une bonne idée au contraire.

— J'essaierai de trouver une sortie plus « citadine » la prochaine fois.

La prochaine fois? Daniel me prendrait-il pour autre chose qu'une simple remplaçante de Nanci? Cette découverte donne un tout autre sens à ma soirée. Je m'installe confortablement et je me mets à observer Daniel. Il est séduisant. Ce n'est pas nouveau. Tout le monde à l'école secondaire de Valmont le sait.

C'est donc un choc pour moi de découvrir que Daniel n'est pas aussi beau que je ne le pensais. Son nez est un peu trop court et sa lèvre supérieure bordée d'une cicatrice. Ses yeux et ses cheveux sont d'un brun tout à fait ordinaire. Par conséquent, ce qui rend Daniel séduisant doit venir de l'intérieur

— un petit quelque chose d'indéfinissable.

De but en blanc, il me dit :

— J'espère que tu aimes le foin.

J'éclate de rire :

— Pourquoi? Est-ce que je vais devoir en manger?

D'un ton très sérieux, il répond :

— Non, je voulais simplement savoir. Moi, j'adore le foin, le respirer, dormir dessus, vivre dedans. Le foin, c'est la chose la plus importante dans ma vie. J'ai trouvé bon que tu le saches.

Je suis morte de rire. Comment peut-il dire de telles choses en gardant un air aussi grave?

— Tu plaisantes?

— Non, mademoiselle. Je suis tout ce qu'il y a de plus sérieux. Le foin, c'est de l'or pour moi. Et même mieux car on ne peut pas nourrir un cheval avec de l'or en hiver.

Je me prends à son jeu :

— Ça, c'est vrai. L'hiver dernier, par exemple, on a été pris dans une tempête. Toute la famille a dû manger du foin.

Je remarque une esquisse de sourire sur ses lèvres.

— Vous avez mangé du foin? s'étonne-t-il.

— Ouais, des sandwiches au foin, de la salade de foin et même des spaghettis au foin. Délicieux, je vous le conseille!

À ces mots, Daniel ne peut plus se retenir. Il est pris d'un fou rire. Et je vois en cet instant ce petit quelque chose qui le rend si séduisant malgré son physique ordinaire.

— Je crois qu'on va passer un bon moment ensemble, Laura.

— C'est mon impression à moi aussi. Nous parlons le même langage.

— Au fait, j'ai oublié de te dire que tu es très jolie.

— Merci, je ne savais pas trop quoi mettre.

— Tu as choisi juste ce qu'il fallait.

En plus d'être comique, Daniel est charmant. Je parie que même si je ne m'étais pas habillée pour la circonstance, il aurait quand même essayé de me mettre à l'aise. En parlant d'habillement, cela me fait penser à quelque chose — ou plutôt à quelqu'un — Nanci. J'en rigole toute seule.

— Qu'est-ce qui te fait rire ? me demande Daniel.

— Je me demandais ce qu'aurait porté Nanci si elle n'avait pas annulé sa soirée avec toi ?

— Probablement quelque chose d'excentrique mais dans le ton : une peau de vache, par exemple.

Il me vient à l'esprit une idée curieuse : quel drôle de couple auraient fait Daniel et Nanci.

— Je sais que ce n'est pas de mes affaires, mais qu'est-ce qui t'a poussé à l'inviter à cette sortie ?

— Nous nous sommes retrouvés jumelés à la soirée dansante. Et tu peux en douter, c'est normal, mais sous cette couche de maquillage et ces vêtements excentriques, il y a une personne très plaisante.

— Je le sais. C'était ma meilleure amie avant qu'elle se soit « punkisée », si je puis dire.

— Ça va probablement lui passer. J'ai eu une période difficile moi aussi, de révolte contre l'ordre établi.

— C'est vrai? On t'imagine difficilement en train de te révolter.

Il y a bien des choses que je ne sais pas sur Daniel. Il a dû penser la même chose à mon sujet car il constate :

— Au moins, nous aurons suffisamment de sujets de conversation. Rien que pour s'échanger les renseignements personnels de base, ça nous prendra sept ou huit sorties.

Je n'y vois pas d'inconvénient. J'aimerais bien découvrir un peu plus Daniel.

Une vingtaine de personnes montent sur une grande charrette tirée par deux chevaux. La lune, gros disque orangé, est basse. C'est la pleine lune de l'équinoxe d'automne.

Au début, les gens bavardent entre eux. Puis, peu à peu, ils se mettent à entonner des chansons folkloriques comme on en chante en camp de vacances autour d'un feu de bois. Tout en chantant, Daniel passe un bras sur mon épaule et je me blottis contre lui. J'adore me pelotonner contre quelqu'un. Je dois avoir pris cette habitude — et bon nombre de mes gestes — de mes chats. J'aime le contact de son corps contre le mien, l'odeur du foin mêlée à toutes celles de la nuit et de la campagne.

Bien que j'aie encore beaucoup à apprendre à son sujet, j'ai l'impression de connaître Daniel depuis des années. Je suis bien avec lui. La lune a perdu sa teinte orange. Elle est plus haute dans le ciel, d'un blanc immaculé et toute ronde. On dirait le globe d'un réverbère. Je sens les lèvres de Daniel effleurer ma nuque. Lui prenant la main, j'entrelace mes doigts aux siens.

La charrette traverse un vieux pont de bois couvert. J'aperçois l'eau noire d'un ruisseau qui scintille à la lueur de la lune.

— C'est la rivière de l'Ombre, me dit Daniel.

— Comment le sais-tu?

— Je m'intéresse à la cartographie. J'ai consulté d'anciennes cartes de cette région.

— C'est bien, dis-je en posant ma tête sur son épaule.

— Je te les montrerai un jour. Tu verras, c'est très intéressant.

Pour dire la vérité, je ne vois rien de plus ennuyeux que d'étudier de vieilles cartes toutes poussiéreuses. J'envisage de mentir et de dire à Daniel que j'ai bien hâte de voir ses cartes. Puis je me ravise. Je me suis attiré tellement d'ennuis avec E.T. en mentant à propos de mes passe-temps et de mes sports préférés que je ne veux pas refaire la même erreur. Regardant Daniel en face, je lui avoue donc :

— Les cartes, ça ne m'intéresse pas tellement.

Il me regarde à son tour dans les yeux et me dit :

— Ah bon? Pour être franc, je n'aime pas trop le parfum que tu portes.

Je me recule légèrement.

— Il vaudrait peut-être mieux que nous arrêtions là alors. Je ne vois pas pourquoi nous nous reverrions.

— Tu as raison. Tu n'aimes pas mes cartes, je n'aime pas ton parfum. Nous n'avons aucun avenir ensemble.

— Absolument aucun.

Nous nous tenons toujours la main. Et quand je dis «absolument aucun», Daniel m'embrasse.

— Absolument aucun, répète-t-il, et cette fois-ci, c'est moi qui l'embrasse.

Nous continuons ainsi pendant quelques minutes en nous disant que nous n'avons absolument aucune affinité et aucun avenir ensemble, et plus nous parlons, plus nous nous rapprochons.

— Oui, mais il y a un petit détail qui change tout, Laura.

— Ah oui? Lequel?

— C'est que tu me plais.

— Toi aussi, tu me plais, Daniel. Crois-tu que ce soit suffisant pour que ça marche entre nous?

— Je suis prêt à essayer.

— Moi aussi.

La lune, qui nous enveloppe de ses rayons magiques, semble approuver notre décision.

FIN

ACHEVÉ D'IMPRIMER
EN NOVEMBRE 1989
SUR LES PRESSES DE
PAYETTE & SIMMS INC.
À SAINT-LAMBERT, P.Q.